こちら葛飾区亀有公園前派出所㉓

こちら葛飾区亀有公園前派出所㉓

目次

こちら葛飾区
亀有公園前
派出所23

バイク男・本田!!の巻

読者のみなさんへお願い

お手を　わずらわさせて
恐縮ですが　このページ
はタテにして　みてくだ
さい　　　作者

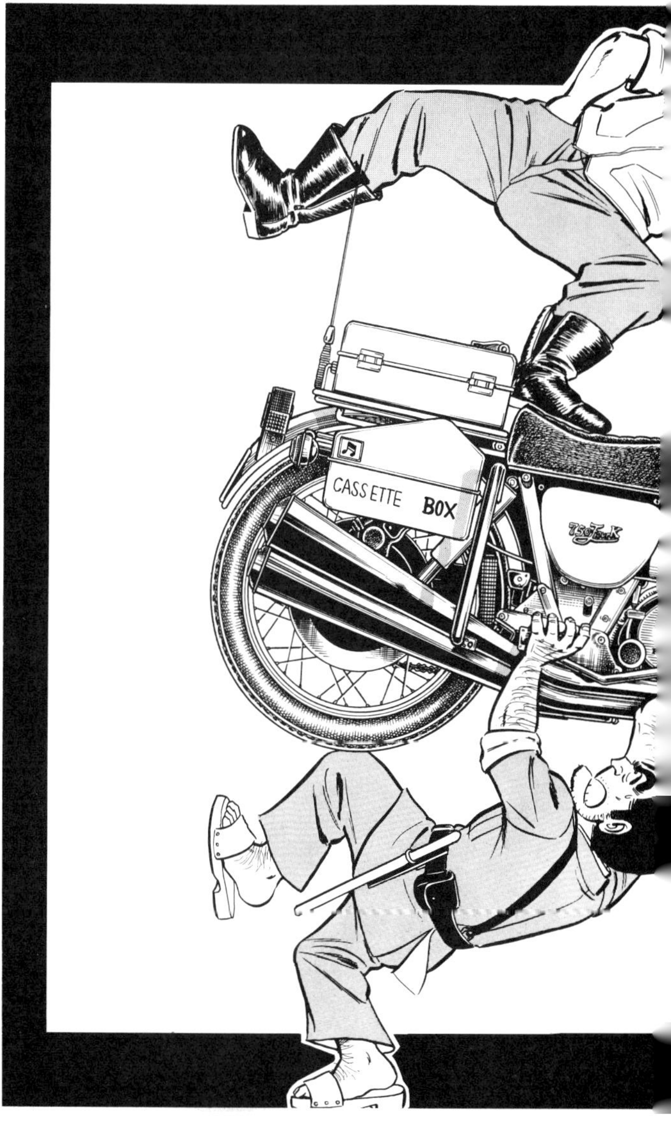
CASSETTE BOX

白鳥交差点
クオーン
クオオオーン
なんて連中だまったく！
まるで弾丸のようにすっとんでいっちまったよ！

今日はすいていて最高だぜ!
千葉街道《ちばかいどう》へでようぜもっととばせるぞ!
やばい!
マッポがきたにげろ!

へへへ ざまあみろ! ふりきってやったぞ
ドルウウッ
なに!?
おれからにげられると思ってるのか とまれよ このやろう!
クオオ
くそ!
とまれというのは任意だろ! 強制じゃないだろ!
ゴタゴタいわずにとまれってんだろ てめえ!
ドルッ ドド
ドン
うわっ
ガシャ
なんてとめ方しやがんだ くそ!

警察に うったえて やるぞ!
えらく改造してあるバイクだな
原形がどんなバイクなのか さっぱりわからん!
ドドドド
うわっ
バウッ
しかし てめえらは だせえ連中だぜ なんだ 今のにげ方は!
白バイに おわれたら だなあ あんなにノロノロ にげてちゃ すぐ つかまっちまうぜ
おれが ひとつ 手を 教えてやる!
白バイを 十分 ひきつけて おいて いきなり スピンターンを かけんだよ
そして すばやく 路地に にげこむ!

おめえらのバイクのほうが装備がなくて軽量なんだからすばしこさを利用しなきゃだめだぜ
わかったか!
せいぜい目を つけられねえように気を つけるこった!
グッドラック
どけどけ!天下ご免の白バイだ!
結局なんのためにおれたちをとめたんだ?
さあ?
夜中のハイウェイでやつは〜〜〜死んだ〜〜〜♪
たまんねえぜこのハダをつきさす風!
うおおおおおっ!!
この爆音!しびれちゃうね!!

スピードもでるわ！今日は調子いいぞ！
100キロをこさねえと走ってる気しねえぜ！
いやっほ——っ!!
いよおっ！のってきたのってきたぞ!!
このみがきこまれたマシンがいいえじきをさがしてうなるぜ！
おっ信号無視なかなかやるじゃんか！
永《えい》ちゃんをバックにいっちょ景気よくとっつかまえるか！
カチャ

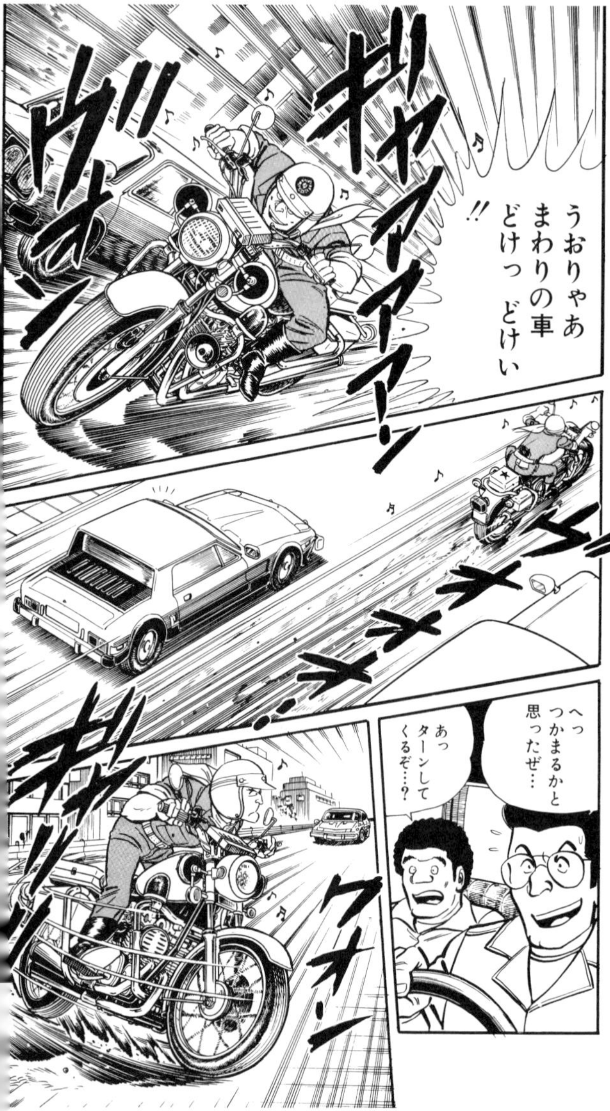

ギャアアアアーッ
うおりゃあ まわりの車 どけっ どけい!!
へっ つかまるかと思ったぜ…
あっ ターンしてくるぞ…?
クオーン

うぎゃっ
正面衝突
するぞ
とめろ!
ゲヴァアアン
いよっ
ギッ
キイ!
ガッ

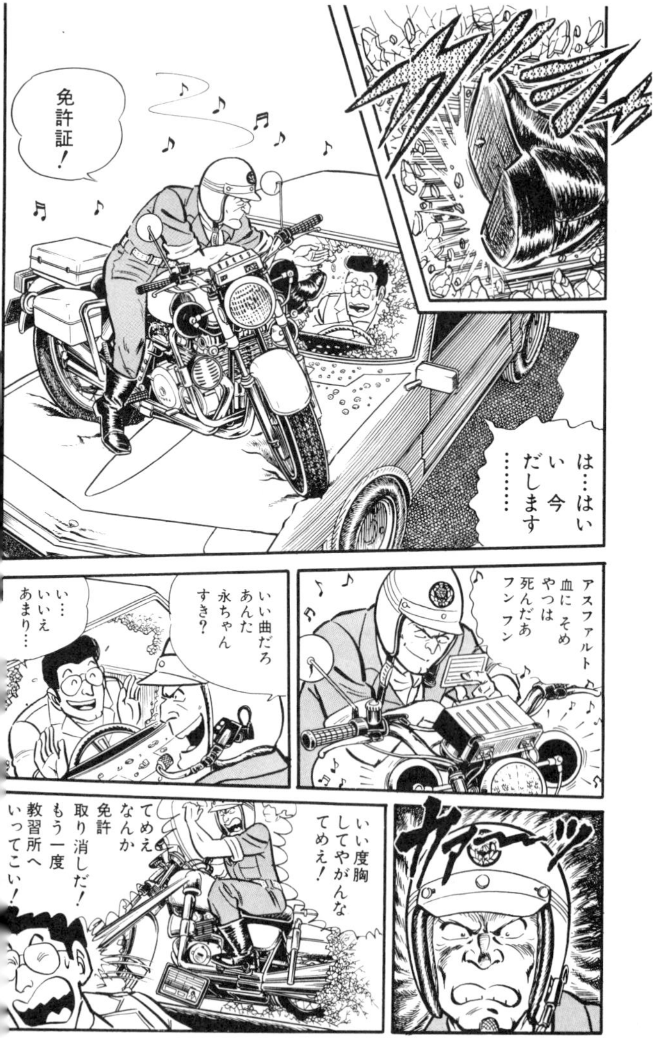
は…はい
い 今
だします
……
免許証！
アスファルト 血に そめ やつは 死んだあ フンフン
いい曲だろ あんた 永ちゃん すき？
い… いいえ あまり…
いい度胸 してやがんな てめえ！
てめえ なんか 免許 取り消しだ！ もう一度 教習所へ いってこい！

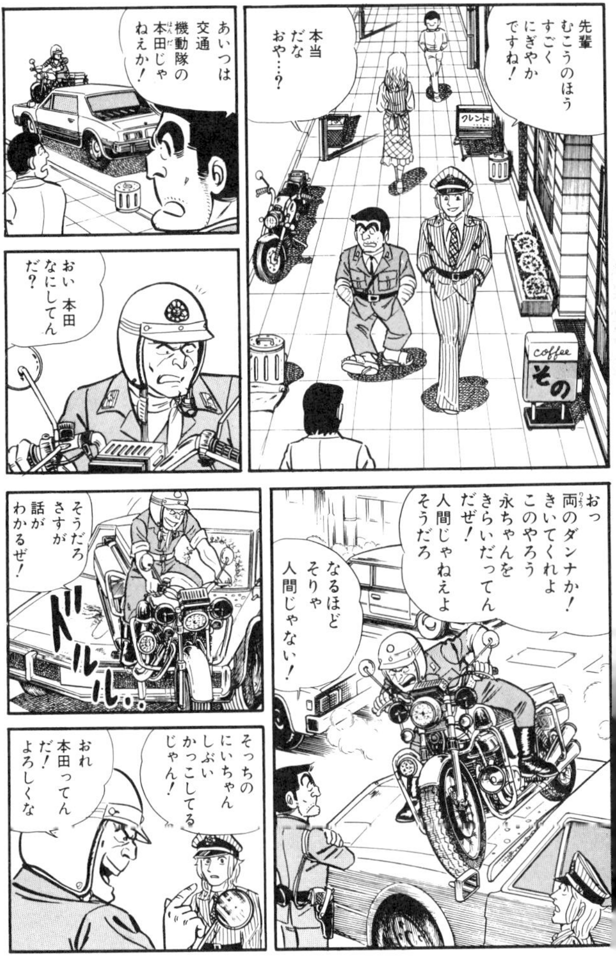
先輩 むこうのほう すごく にぎやか ですね！
本当 だな おや…？
coffee
その
あいつは 交通 機動隊の 本田《ほんだ》じゃ ねえか！
おい 本田 なにしてん だ？
おっ 両《りょう》のダンナか！ きいてくれよ このやろう 永ちゃんを きらいだってん だぜ！ 人間じゃねえよ そうだろ
なるほど そりゃ 人間じゃない！
そうだろ さすが 話が わかるぜ！
ドルル
そっちの にいちゃん しぶい かっこしてる じゃん！
おれ 本田ってん だ！ よろしくな

やつは元暴走族でわしと気が あってなとにかく自分の家の中でもバイクで走るというマニアだ
バイクとおれは一心同体よどこへでも走るぜ電柱だってのぼるぜ!
えっ電柱に!?
やってやろうかよくみてろよ
あらよっと
いよっ!
こらさっ!

あっ
おしい！ もう少し ふんばれば てっぺんまで のぼりきった ぜ！
す… すさまじい 運転だ……
ありゃ？
カチ カチ
無線が いかれち まった！ これをやると かならず どこかが こわれるぜ！

本田
せっかく
あったんだから
派出所で
お茶でも
のんで
いかんか?
そうだな
ちょっと
小休止
するか…
ドッドドッ
おくって
いくぜ
両のダンナたち
うしろに
のれよ!
そうか
悪いな
ははは
ひゃっほおっ
いいぞ
もっと
だせーっ!!
ドバババ
とっくに
メーターは
ふりきって
いるぜ!
ズドドド
ダイナ
ミックな
3人のり
逆ハン
直角
カーブ!
きゃあ
しびれ
る〜〜〜っ
ギャアアアン
グオン

前に とめといて かまわん さあ こいよ!
亀有公園前
そうかい ほんじゃ 少しな!
本当に 勤務中に おじゃまして いいんですか すみません 両津《りょうつ》さん
いいから 今 コーヒー いれて やるよ!
ナヨ
ナヨ
永吉《えいきち》さんの 歌って 本当に いいですね ぼくは 最高だと 思いますぅ
そうか
先輩 かれ バイクを おりたとたん 急に 態度が かわりましたね

そいつは逆だ！今の姿が 真の本田なんだよ おとなしくて口数も少なく気も小さくてな
ところが 一たん バイクにまたがると 気が大きくなり 顔つきまで かわるんだよ
まあ ジキルとハイドのようなもんだ！ つきあってるうちに すぐなれるよ
信じられん…
ふん ふん アスファルト♪ 血にそめ… ふん ふん ♪
本田さん！
きゃあ ごめんなさい！
びっくりしたぁ ぼくの上司にみつかったかと思った…… さぼってるところみつかるとうるさいんだ はははは
ビクビクするなよ ほら！ のめよ
あの 砂糖はいくついれますか？
なんだ 中川《なかがわ》さんか………

ヴォオオオン
ピク
今のエンジン音はホンダ・エアラですね でも ホンダすきなんです 名前も同じだし…
わしはロードパルがすきだぞ
じゃあ ぼく もう失礼します おそくなるとおこられるから……
そうか また こいよな
ガシャッ
あっ
ああっ ぼくのバイクが!
このやろう ここは派出所だぞ!
ガッ
だから どうしたというんだよ
ヌ

いてっ
うわあ 殺されちまうよ!
ようし これを!
本田! バイクのハンドルだぞ!
ハ ハンドル バイクのハンドル
てめえ このっ
でけえ体しやがって なんだってんだ このやろう
お上《かみ》をなめんじゃねえっ てめえ!
うわあ たすけてくれーっ!!
おそろしい性格の人だ……
いいぞ やれ!

★週刊少年ジャンプ1979年19号

の巻

酒飲むべし！

なに!? 麗子《れいこ》くんが おみあいを するだと…!!
かってに きめちゃったのよ! うちのパパ ものすごく おせっかいなの だから 来週 神戸《こうべ》に 帰りたいんですけど…
かまわんよ 来週は ゴールデンウイークだし 3～4日 ふるさとの神戸で ゆっくりしてきたら どうだね…
本当は パパも わたしに あいたいために なんや かやと 理由をつけて 帰れっていうんだわ
父親なんて そういうものだよ まして 別べつに すんでいるんだ たまには 顔も みたくなるしな…
もしよかったら 両津も いっしょに つれていって やってくれ
えっ 両ちゃんを…?
あいつは でぶしょうな 男でな 旅なんて ひとりじゃ しないし ほとんど 東京《とうきょう》から でないほど めんどくさがりの 人間だ!
映画などに しても 8年前に一度 みたきりと きくからな…
競馬場とパチンコ店 しか しらんなんて 世間には いえんよ だから なるべく 旅でもして 見聞をひろめれば 少しは あいつの ためにも なると思う……

まあ力だけがとりえの男だから荷物を運んだりするのに役にたつ…
でもついてくるかしらね?
心配いらん弁当をあたえ新幹線に のせてやるといえばよろこんでくる
本当!? そういえばいいの…?
え!? 神戸に いって牛肉くわせてくれるって!?
ぜひ いく! タダねっ! は は はたのしみだな! いついくの?
たしかに子どもより単純なようね……

神戸に帰るのは半年ぶりよなつかしいわ

早く　牛肉　くおう！　牛肉！　なっ　牛ちゃん　くおうぜ　牛!!

ついたばかりで
まだ 早いでしょ
今日は わたしが
神戸を 案内
してあげる
わよ
いいよ 別に
景色なんて
みたって
しょうがねえ
それより
牛肉くいたい
それにしても
制服で くること
ないんじゃない
別に 今回の
旅行は 仕事じゃ
ないんだから…
いっちょうらの
背広を
せんたく屋に
だしたんだ
ほかには この服
しかない!
別に 私用で
着たっていいだろ
どうせ タダで
もらった服だ!
有効に使って
どこが 悪い!
なんか
仕事してる
みたいで
おちつかない
わね!
この上で 休んで
いきましょうよ
神戸港が 全部
みわたせるわ
神戸ポートタワー入口
いいよ 高いとこへ
あがったって
おもしろくも
なんともない
つかれるだけだ
東京タワーだって
小学校の遠足の時
のぼったけど
人だらけで
外は みえないし
小づかいは
おとすし…
りくつが
多いわね
もう!

うおおおっ すごい!!
うおっ 船だ! ビルだっ 人だっ うおおっ
くそ! もう おわっちまった!
さっきとは えらいちがいね まあ 本人が たのしんでいれば いいけれど
麗子! 50円! 50円! 早く!!
まだ みるの!?
もう 50円玉が ないわよ… 500円札 ぐらいしか…
わしが くずしてくる! くずすのは 得意だ!
おまえが 金は 必要ないと いったから 1円も もってきて ない身の上 だからな!
本当に もう まい子に なったら どうする気 なのかしら…

まあ あれで 少しは 世間を ながめるように なったには ちがいないわね
全部 使っちゃった! もう500円 ちょうだい!
いい かげんに しなさいよ!
ここなら いくら みても タダだから ここで 少し 休みましょう
コーヒー 280
ソーダー
ここは おもしろいな 地面のほうが 少しずつ 動いてる こりゃ らくで いい!
ほうら 前のほうに 山が みえるでしょ わたしの家は あの辺に あるのよ
ほう なるほど

あんな山奥でくらしてるのか？苦労してるんだな貧乏長屋か？それとも間借りしてるのか……？
いえ自分の家よ…
そうか！さぞかし麗子のおやじさんも無理をしたんだなどこにつとめてんだ公務員か……？
貿易の仕事よ宝石から石油まで…この神戸港にも会社のビルが四つほどあるわ
ほう…そのビルの夜警をやってるのか……大変だな夜は さむいしな
みんなパパの会社よ夜警はガードマンの方がやってるわ
少し ハラがへってきたな朝メシぬいてきたからな

じゃあ とりあえず うちに いって 荷物を おろしてきてから 食事に いきましょう
ドン
そうだよ 牛肉だ! すっかり わすれてた!
しばらくでした! おじょうさん サービスしときますわ!
サンキュー
おい 麗子 金 はらわなくて いいのか?
いいんですって! 得しちゃったわね…
ちぇっ 女は 得だな まったく
タクシー ひろって いきましょうか!

いた いた！ わし タクシー みつけるのも 大得意だ！
よいしょっと 運ちゃん この車に のるぞ！
ドサッ
運転手さん わたしの家まで おねがいね
へ へい！ どうも おおきに!!
おい！ "わたしの家" だけじゃ わかるはず ないだろ！
だいじょうぶよ 心配ないわ
さっきの 金といい… どうなってるんだ？
ブロロロロ…
334
タクシーのりばは あちらです

えーっ! 麗子が大金持ちの娘だって!
そうでんがな この神戸の人でしらん人はだれひとりいませんよ
ダンナは東京ですか もう神戸見物しはりましたか?
別にみにきたわけじゃない 牛をたべにきただけだ
中川といい麗子といい みんないいくらししてやがるな
なんでわしひとり庶民の代表なんだよ!
そうでっか! ステーキもよろしいけど神戸いうたらお酒もおいしいおまっせ!
近くに酒倉が多くありますさかいな

ここの近くに酒倉があるのか?
そりゃもう灘《なだ》いうたら酒の本場だ! 剣菱《けんびし》 日本盛《にほんさかり》… 酒造会社がかたまってます
〝兵用ふべし 酒飲むべし…〟と頼《らい》 山陽《さんよう》先生もおっしゃっとりますわ はははは
そう! まさに酒飲むべしだ 今すぐそこへつれてってくれ!
ステーキはどうするの?
そんなもん あと! あと! 酒でハラいっぱいにしたほうがよっぽどいい! 運ちゃんいそげ!
運ちゃんも人が悪い! はじめからそこに案内してくれりゃいいのに いやあ~~~~ きたかいあった
えらいことになったわね!
ここですわ 右をみても左をみても大手の酒造会社がならんでますやろ
忠勇
清酒 忠勇
うひょー まったく壮観なながめだ
町中に酒のかおりがただよっとる うーむ たまらん!
そうだ! 剣菱にいってくれ! わしが8歳の時から親しんでる一番すきな酒だ

ぜひ 大すきな酒が どのようにしてできるのか 見学したい! たのしみだな!!
元町《もとまち》や異人街《いじんがい》とか いろいろあるのに わざわざ 酒造会社を 見物しに いくなんて……
キ
ここが "剣菱"だけど 見学させて もらえるか わからんよ…
劔菱酒造株式會社
そこは わしが たのめば 一発!
なに!? 酒倉を 見物 したい?
そのために 東京から きたわけ でして ぜひとも!
こまりますな… うちは そういう見学は いっさいやって ませんし…
おねがいよ! 中をみせて いただく だけでいいの! この人この会社の お酒が 大すきなのよ!
あ! これは 貿易商の… はい! ただちに!!

今は 時期的に 作業をやって いませんけど よかったら みていって ください…
くそ! わしひとりの 時と 態度が 全然 ちがう!
この大きな 釜で 米を たくことから 始まりまして
そして できたのを 二階へ はこんで…
それは いいから! かんじんの 酒は どこ?
だから 酒の できるまでを 説明してるん でしょう
順序より 結果のほうを 早く みたいんだよ

それはこちらの奥のほうにあります
これがそうです
うおっすげえ!
うひょ酒のにおいが強くなってきた!
さっそくいいきき酒を……
あっちょっとまってください
両ちゃんせっかく親切に説明してくれているのにおちついてききなさいよ
これだけの酒にかこまれておちつけというほうが無理だ!
ここにあるのはまだしぼってないものですのめませんよ
ちぇっいったいどこに酒があんだよ!

一応この中に今のをしぼったしぼりたての酒がありますよろしければ…
うおっ！やっと到着した！
多少ガスがはいってます
へっへっへ神戸まできたかいあった！
ザブ
いける！しぼりたて新鮮な味だ！
さっきあった四角の大きなタルの中でねかせておくのですか…
そうです他のメーカーではすでにビンづめがすんでますがうちではゆっくりとねかせます
あら…両ちゃんがいないわ？
え!?

あーっ あの人 ひとりで タンク半分 くらい のんで しまった!
どこ うろついてる のかしら… ……?
へへへ 酒に かこまれて ここは まさに 天国だな!
こしてない 酒だって 早い話 ドブロクと いっしょじゃ ねえか!
うひ! こいつも いけるぞ!
ペチャ
おかしい わね 両ちゃーん どこなの ——っ
消火器
目が はなせない 人ですね!
口あたり なんか 最高だ! こりゃあ うまいぞ!
バシャ
おーい タンクの中に 人が はいってるぞ
え!?
なんですって!?

★週刊少年ジャンプ1979年22号

スブリッジ！
の巻

ビーナ

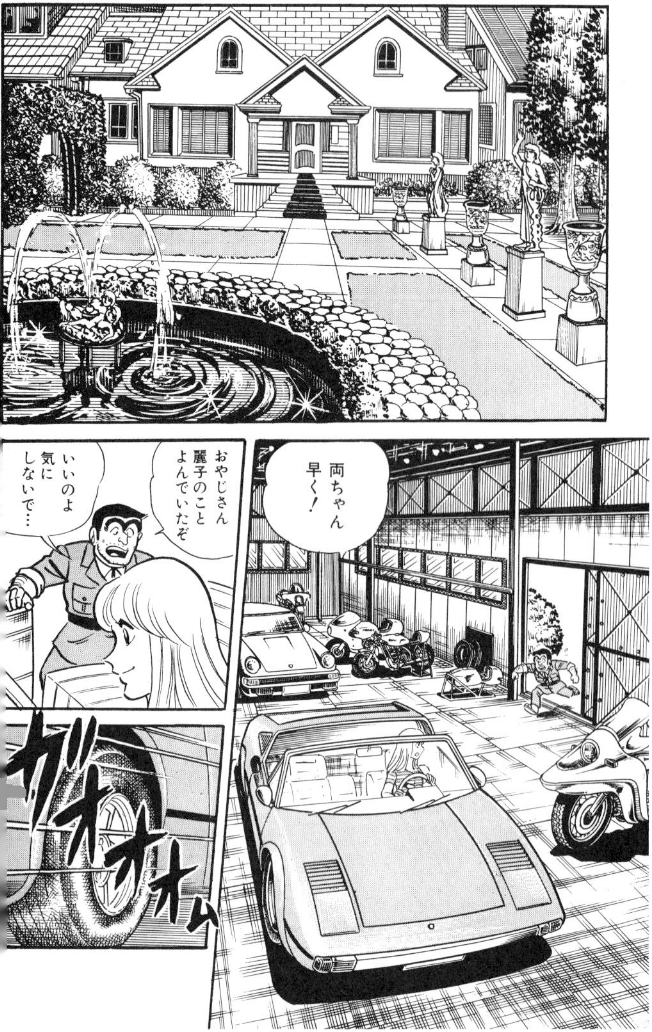
両ちゃん早く!
おやじさん麗子のことよんでいたぞ
いいのよ気にしないで…
ガォオオォム

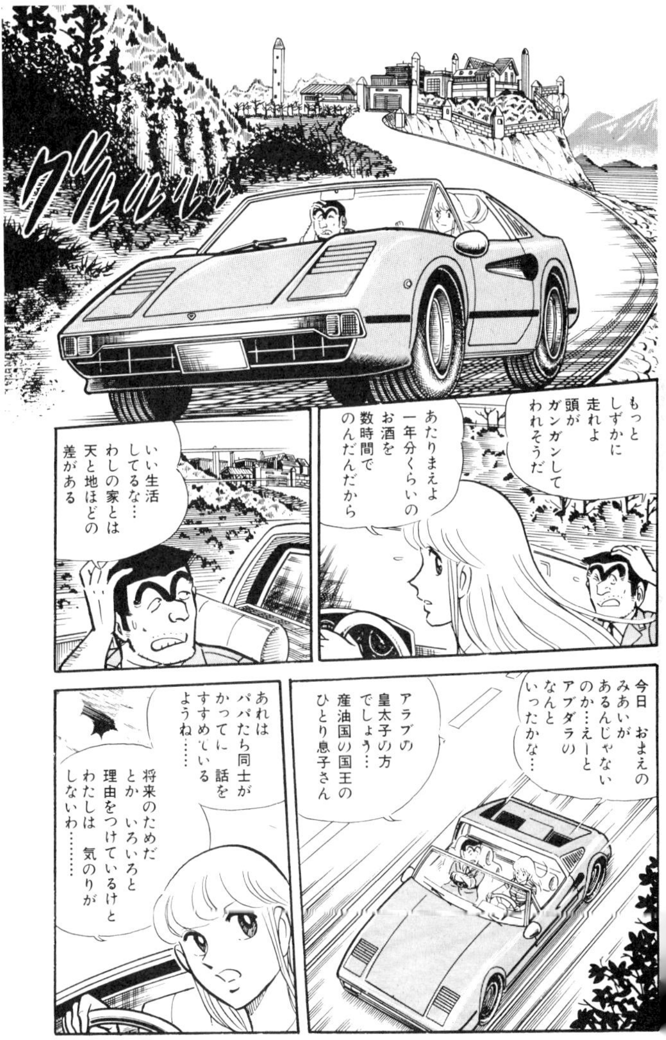
グルルルル
もっと しずかに 走れよ 頭が ガンガンして われそうだ
あたりまえよ 一年分くらいの お酒を 数時間で のんだんだから
いい生活 してるな… わしの家とは 天と地ほどの 差がある
今日 おまえの みあいが あるんじゃない のか…えーと アブダラの なんと いったかな…
アラブの 皇太子の方 でしょう… 産油国の国王の ひとり息子さん
あれは パパたち同士が かってに話を すすめているようね……
将来のためだ とか いろいろと 理由をつけているけど わたしは 気のりが しないわ………

もったいない！玉のこしじゃないか 結婚すりゃ一生 あそんでくらせるぜ！
今のままで十分よ 自由だし気ままで！
わしにそんな話があれば養子でもなんでもよろこんでいくのにな
自由だけで生活はできんぞ！
みて 今日のお天気ドライブには最高よ！
これでとなりの人がアラン・ドロンのような男性ならもっと最高ね…
わしで悪かったな もう東京へ帰るぞ！
じょうだんよ じょうだん！
おまえは 理想がたかすぎるぞ！ そういう考えだとわしのように32回 みあいをしてことごとくふられる道を進むことになるぞ
変なこと自慢しないでよ

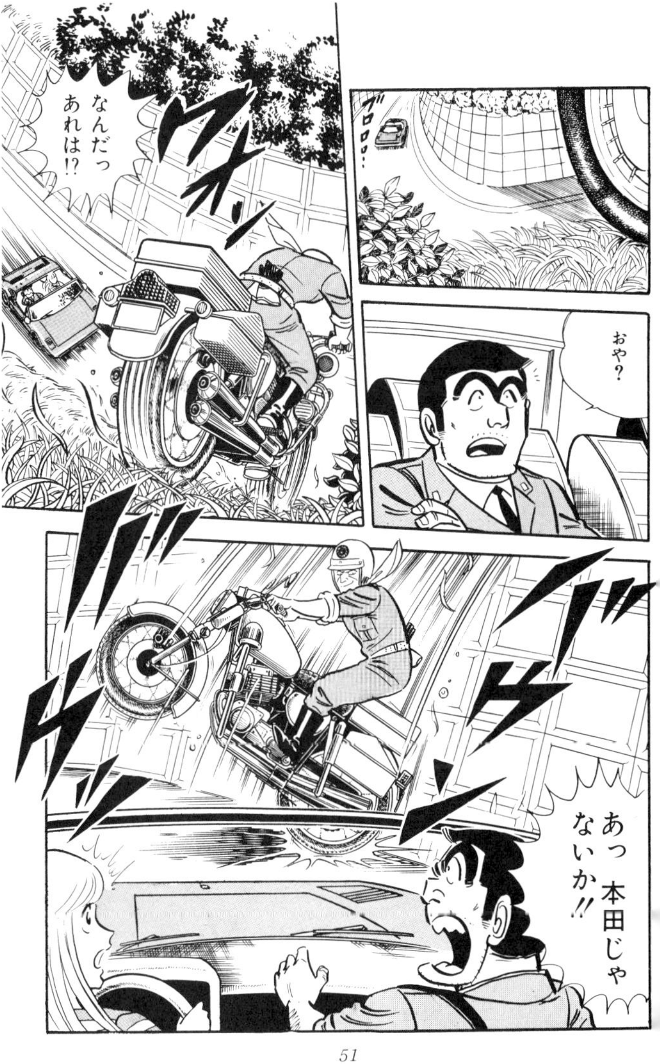
ブロロロ…
ワオン
なんだっ
あれは!?
おや?
ダダダダ
ダダッ
あっ 本田じゃ
ないか!!

派出所にあそびにいったらよォ神戸にでかけたってェからよ！真夜中に東名《とうめい》をぶっとばしてきたってわけよ！
よくやるよ！わざわざくることないじゃないか！
その制服姿をみて すぐに両津のダンナだってわかったぜ！
しぶい車に美人を のせてドライブなんてなかなかやるねえこのっ！
ドドドド
おれも便乗したいねせっかく神戸まできたんだし
ちぇっ麗子の運転は荒っぽいぞついてこられるか？
一時はオートレーサーになろうとしたオレだぜ！車なんかにまけてたまるかよ！
いやっほう！
ガリガリ
ダッ
スピード最高！
ギャアアーン
今日はのってるぜ!!

こらっ　本田！
車の前を
チョロチョロ
走るな！
あぶないぞ!!
いつもの
クセでな
気に
すんなよ！
すごい運転
する人ね！
よくも　まあ
神戸まで
みつけにくるよ！
ビーナス
ブリッジへ
いって
みましょうよ
お天気が
いいから
景色が
きれいよ！
そうか…
まあ
よきに
はからえ！
たばこ
たこ焼
お弁当
おみやげ
お菓子
コーヒー
牛乳
POKKA
Coffee

うおっ すごい! 絶景かな 絶景かな
まん中に みえるのが きのう いった ポートタワーよ

ビーナスブリッジ
Venus Bridge
そしてむこう側が大阪《おおさか》なのよ
ほうなるほど
本田よくみろあれが通天閣《つうてんかく》だ！むこうにみえる山が富士山《ふじさん》だぞ！天気のいい口はここから東京もみえる
へえすごいですね

ふたりとも そこに たっていてよ 写真を とってあげるわ
そうか…! かっこよく 写してくれよな たのむぞ!
ぼくが とりますよ 麗子さんも いっしょに はいって くださいよ
え? いいの……
本田さんて バイクおりると 急に態度が かわるのね!
まあな なれると それほど 感じんよ!
はーい ここみて そう! 笑って ハイ!
今度は 本田を とってやるよ バイクにのった いさましい姿!
いやあ はずかしい なあ いさましい ところなんて ダメですよ てれるなあ は は は
パ
どうだ! きまってる だろ! 最高!!
うまく 写せよ おい!
ドドドド
ヴォォォ
グォォム
いいぞっ その調子 バッチリ!

ババババ
いようっ のってきたぜ そこいら ひとっぱしり してこよう ぜ!!
よし!
うおおっ 最高!
ギュアアア
麗子 ちょっと いってくる な!
やっほうっ 最高!
ガオ
もう! しようのない 人たちね!
ガオオオオッ
ちょっと 目をはなすと すぐ どこかに とんでいって しまうん だから!
POKKA

神戸まできて
わざわざ
バイクに
のること
ないのに…
ポッカ
コーヒー
アイス
フタナベ
POKKA
あら？
ヨ
ヨ
かわいい
子ね…
お母さんは
………
ガオオッ
ぼうや
でてきちゃ
だめよ！
どけっ
どけっ
あっ！
じゃまだ
どけっ！
きゃあ
――っ

きゃあ しんすけ だいじょうぶ!?
子どもがいるのにあぶないわねえ!
頭にきたわ ようし みてなさい!
おい どうした 本田!
あの車 かの女のじゃねえか!
本当だ どこへ いく気だ!
あらら!

前の車を
おいかけてる
ようだぞ…
なにか
あったんだ!
やるねえ
かの女も!
おれたちも
おいかけ
ようぜ!
ドドド
ドグオオオ
GTR
おい
外車が
変なところ
ぶっとばして
こっちへ
くるぞ…!!
おれたちを
おってるのか
!?
ドワ

おい 今 おれたちの 上を 車が とびこして いかなかったか?
エラ口リバンド 大ヒット!!
タッチ
おまえ つかれてる ようだぞ もう少し ねておけよ
すげえ! テクニックや 度胸といい 女とは 思えんぜ!
本田より うまいぞ 女が逆上 すると なにするか わからん!
おーい 麗子 ちょっと まて おい!
どう したんだよ なんなんだ あの車!
もう少しで 子どもを ケガさせそうに なったのよ あの車!
暴走族か… おれの 出番だな!

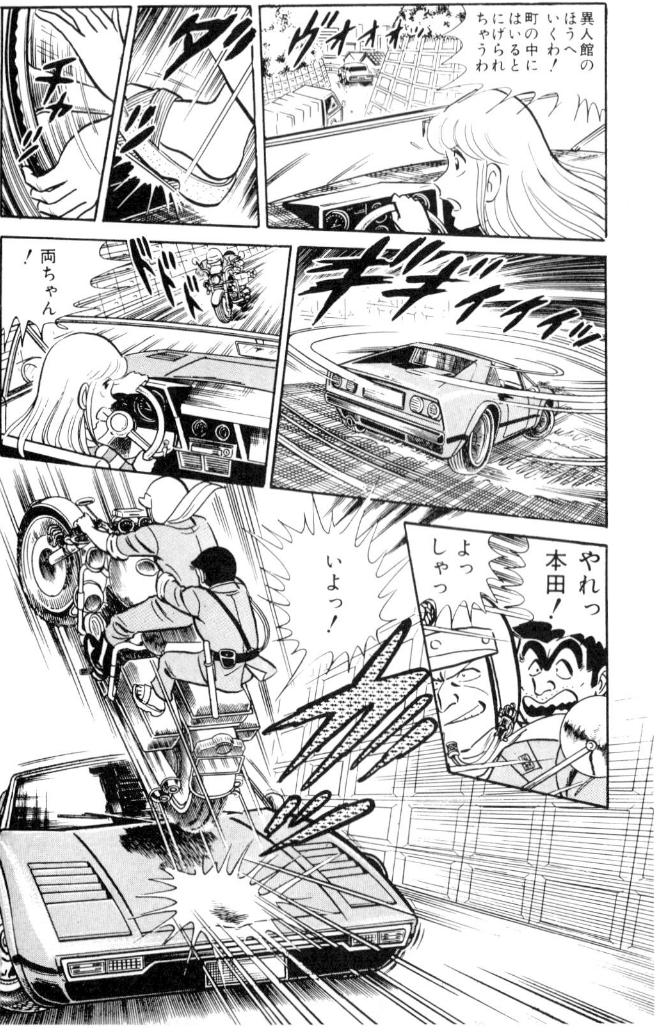

異人館のほうへいくわ！町の中にはいるとにげられちゃうわ
ヴオーオオッ
ギギギイイイッ
両ちゃん！
ドドドド
やれっ本田！
よっしゃっ
いよっ！

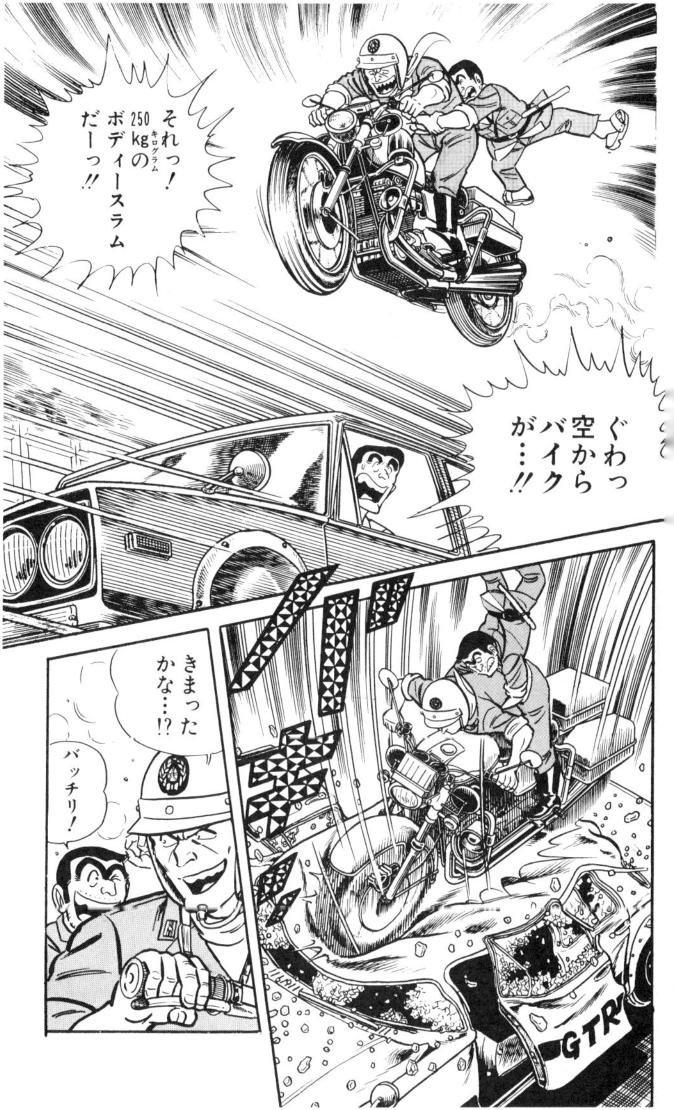

それっ！
250kg《キログラム》のボディースラムだーっ!!
ぐわっ
空からバイクが…!!
きまったかな…!?
バッチリ！

こら！
早く
でてこんか
やりすぎだ
過剰行為だ
どんくさい
お巡りめ！
なんだと
この
やろう
やるか！
い…いえ
べつに
その……
ぎゃあ
あーっ!!
また
なにか
おきたか？
だ だれなの
こんなこと
したの？
車を つぶす
なんて！
け 警察を
よばなきゃ
早くぅ！
ずいぶん
いそがしい
人ね……
ひとり ふた役
やってるのと
同じね………

★週刊少年ジャンプ1979年23号

ちゃんの巻
POLI
●世界のお巡りさん
……その④
西《にし》ドイツ(GERMANY《ジャーマニィー》)
数かずの名車をうむ　この国
には　白バイ警察官からなる
〝西ベルリン・アクロバット
チーム〟がある その腕前と演
技は海外でも評価されている
BMW

さすらいのワン

POLIZEI
ユーゴスラビア
(YUGO《ユーゴ》SLA《スラ》VIA《ビア》)
白い手袋でテキパキとやる
交通警官は町の人気のマト
夏は　まっ白な制服で街頭
に立つ　これがきまってる

パシッ…
八方《はっぽう》!
どうだっ
悪いなあ
また
カブだ
これで
3万円
貸しだぞ
ちぇっ
くそ!
それに
しても
ハラが
へってきた
なあ おい!
朝から
5時間も
ぶっつづけだ
からなあ
おーい
麗子
なにか
つくって
くれ
麗子さんは
今日
こないんです
なんで
だ…?
犬が
派出所に
すんで
いるから
出勤したく
ない…と
石油
アホか!
なに考えて
いるんだ
あいつっ!
無理にでも
ひっぱってこい
上司の
命令だ!
は…
はい!

犬にも よく いっといた ほうが いいんじゃ ないのか…
そうだな よし！
整理整頓する事!!
おい ちょっと 用がある でてこい！
石油
派出所マンション
麗子に すかれるよう 教育して やる！
派出所マ
まず 身だしなみ からだな！ 清潔で ないといかん!!
こらっ おとなしく せんかっ 協力しろ！
キャン
キャン
バシャッ
これで 少しは きれいに なったな
ブルルルル
仕あげに ヘア トニックを まんべん なく……と
キャン

これでよし！これならきっと気にいるぞ
きたぞうまくやるんだぞ！
いや〜〜〜んいやよっ！犬きらいなんだからァいや〜っ!!
なれればだいじょうぶだよ！おとなしいやつだから！
どうしてもつれてくるなら舌かんで死んでやるわよ！
先輩！
うーむ相当なものだな……
こうなったら少しずつならしたほうがいいな…
どうする気だ？
麗子この人形ならこわくない

そ…そうね ぬいぐるみ なら……
これは どうだ
すきには なれない けども… なんとか ね………
そうか それ じゃ…
この 人形は どうだ? え かわいい だろうが!?
でも… ちょっと リアル ね……
じーっ
きゃあーっ 本物よっ!!

キライ わたし もう 帰る！
あっ まて！
両津！ 女ひとりもいうことをきかせられなくてどうすんだよ
バカ あいつはふつうの女とわけがちがうぞ！
2 3発 バシッとなぐるんだよ！ 上司のきびしさを思いしらせてやれっ
少しょう手あらいが しめしが つかんからな よし
おいっ 麗子 こっちむけ
よし そこだ そこで バシッと……
あたっ
気やすく人の名前よびすてにしないでよ！
ヒステリックになった！ 手におえん
おまえより手が早かったな……

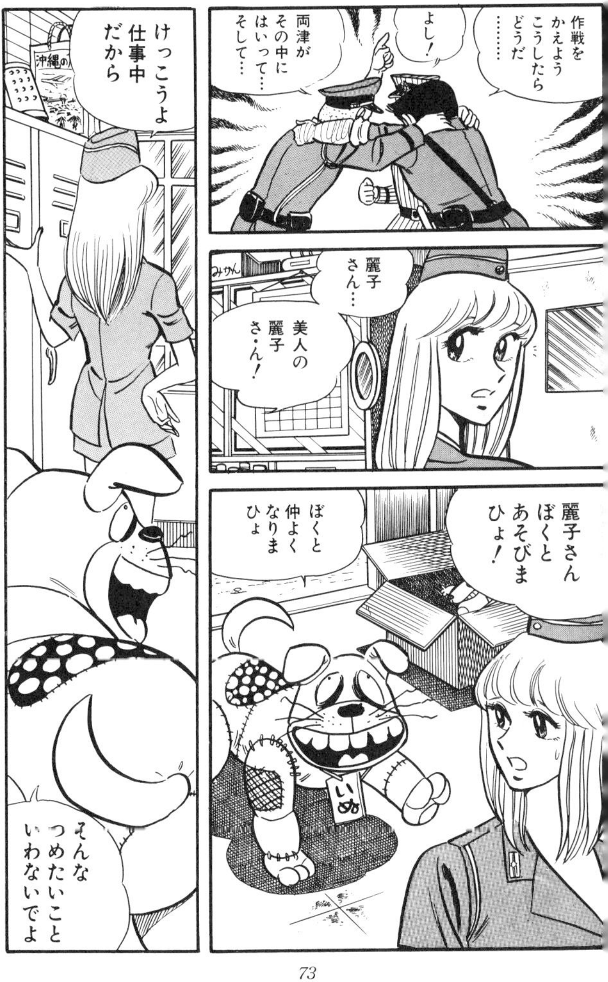
作戦を
かえよう
こうしたら
どうだ
………
よし！
両津が
その中に
はいって…
そして…
けっこうよ
仕事中
だから
麗子
さん…
美人の
麗子
さ・ん！
沖縄の
みかん
麗子さん
ぼくと
あそびま
ひょ！
ぼくと
仲よく
なりま
ひょ
いぬ
そんな
つめたいこと
いわないでよ

犬は 人間の最愛の友です!
さあ いっしょにあそびまひょう
ガバ
ハバ
花札しまひょうか? それともプロレスしまひょうか
ペロ
そう…ねえ……
だるまさんあそびしましょうか?
グイッ
ほう どんなあそび?
ドタッ
かんたんよ…!
こうして火をつけるだけ……
正式には"火だるまさんあそび"っていうのよ
ぎゃあちっち! だ だれか背中のチャックを!
パチパチ
アイデアはよかったがせまりすぎだよどさくさにまぎれて…
ちくしょう簡単に 火をつけやがった!!
麗子をならすより犬のほうを教育したほうがいい

事の原因はおまえが犬だからだ! いいかっ今日からネコになれっ
おまえはネコだぞ
ニャーンとないてみろ
ワン
ワンじゃねえ! ニャオーンだっ!
ワオーン
ニャオーンニャオーン
そうだもっとネコらしくあるけ!
しっぽもっとふって!
ニャワ〜ン
ニャワ〜…ン
よし! だいぶ板についてきたぞ!
ほら麗子! ネコだぞかわいいもんだろ! カツオブシでもあげなさい
ニャワ〜ン
そんなマネしても完全な犬よ!!
とにかく今後の事家に帰って考えるわ
おいまてよ!
…………
…………
…………

秋の交通安全週
亀有公
たいへんだっ犬が家出した！
なんだって本当か!?
どこにもいないんだ小屋もきれいにかたづけてある
あいつめ責任を感じてでていきやがったな
派出所マンション
中川留守番してろさがしてくる！
おれもいくぜ！
かってにでていったのだからしかたないわよ
なに！
ばかやろう！おまえの事をだな…
グイ!!
あっ

どこさわってるのよエッチ!
おまえなんかにかまっちゃいられん!
帰ったらとっちめてやるからな!
なによっ犬ぐらいで大さわぎしちゃって!フンッ
I LoVe YoU
たかが犬の事じゃないの…
犬の日誌
犬のしつけ方
犬のかいかた
迷犬ラッシー
いぬ
………
………
………
足づくりのおかず
麗子さんどこへいくんですか?
ちょっとようすをみにいくだけよすぐもどるわ!

お〜〜い
ザッ
戸《と》塚《つか》は
むこうを
まわれっ
わしは
先をいく！
よし
わかった
！
お——い
いない
わねえ
………

キケン
この辺では
遊ばぬ事
あっ！
ぼうや！川の近くであそぶとあぶないわよ！
あっ
きゃあ！
うわーん
バシャ
バシャ

たいへんだわ!
助けをよぶにも人がいないし!
バシャ バシャ
泳ぎに自信はないけどなんとかしないと!
ぼうやまってるのよ!
バシャ
バシャ
ダッ
まったくどこへいっちまったのやら…
まったくみあたらなかったな……
ワン ワン
おっもどってきたぞ!
おいなにすんだこらっ!
グイ

心配かけやがってたくせになにしやがるんだ！
ブンッ
麗子さんもさがしにでたんですが…あいませんでしたか？
ワン
ワン
いや…べつにあわなかったぞ
こらっうるさいぞいいかげんにしろ！
ワン
ワン
あっ部長の功労賞のバッジを！
パッ
ダッ
まてっもっていくなこら一っ!!

わあーっ ああ あーん
バチャ バチャ
ぼうや わたしに つかまり なさい!
バシャ
きゃあ ーーっ
バシャ
そんなに あばれちゃ だめよ!
きゃあ ーーっ
ザザーッ
まてー こらっ
やい! とうとう つかまえ たぞっ!!
かえせ こいつ
ああっ 麗子と 子どもが おぼれてる ぞっ!!
バシャッ
バシャッ
しらせに ここまで つれて きたんだ!
あっ 先輩 あれは!
なに!?

たいへんだっ
早く 助けないといかん!
台風で水かさがふえてますよ!
麗子!そのヒモにつかまれ!
バシャ
ザバッ
救助もできんくせにムチャしやがってまったく!
その犬が助けにこなかったらどうなってたと思うんだ
先輩もういいじゃないですか子どもも無事だったし
まあそうだが……

亀有公園前派出所
注意一秒ハゲ一生!
ほう そんな事が あったのか!?
それからと いうものは えらい かわりよう でしてね!
ただいまーっ ワンちゃんの すきなもの かってきた わよ!
さあ ロースト ビーフと ロースハムよ いっぱい たべてねぇ
消火器
わしより いいもの たべてる……

おい 最近つきあいが悪いぞ! 女にうつつをぬかしおってわしにもよこせ!
こらっ なにするのよ!
ちょっとぐらいもらったっていいだろ わしだって助けたんだから!
だから両ちゃんにもビスケットあげたでしょ!
するとなにか…? 犬がロースハムでわしはビスケットだけか?
ビスケットがほしいっていったでしょ ワンちゃんに八つあたりしないでちょうだいよっ!
…………
そして翌日…
先輩からの電話で犬が いるから2 3日 休むそうです!
なんだと今度はあいつ!?
一年中休むヒマなく問題をおこしてくれてありがたい連中だよ!

★週刊少年ジャンプ1978年44号

麗子巡査の秘密!?の巻
火の元注意
火の用心
目立ストーブ
石油
石油

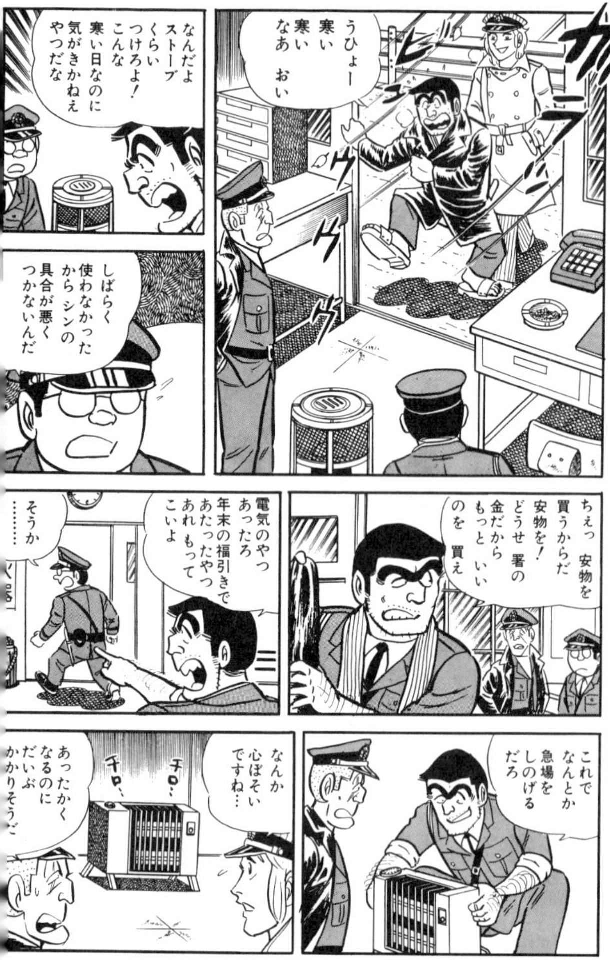
うひょー 寒い寒い なあ おい
なんだよ ストーブくらい つけろよ! こんな寒い日なのに 気がきかねえやつだな
しばらく使わなかったから シンの具合が悪く つかないんだ
ちぇっ 安物を買うからだ 安物を! どうせ署の金だから もっといいのを買え
電気のやっ あったろ 年末の福引きで あたったやつ あれもってこいよ
そうか
……
これで なんとか 急場を しのげるだろ
なんか 心ぼそいですね…
チロ
チロ
あったかく なるのに だいぶ かかりそう

おい! ちゃんと 窓 しめとけ 微妙な 品物だからな
ピシャッ
こうして じーっと してれば だんだん あたたかく なって きたろ…
しかし これじゃ 仕事に ならんな
ガラッ
ピュー
ウウウ
わあ みんな くるの 早いのね
国民のたばこ しんせい
バカ せっかく あったかく なったのに ひえちゃう じゃないかっ
ピュー
え!?
しめるんだよ! この 無神経女め!
ピシャッ
まあ ひどい いい方!
私が 無神経なら 両ちゃんなんて 無常識 無哲学の 無人間よ
うるせえ ほっとけ!

ところで麗子ずいぶんあったかそうなのきてんじゃないか
ああこれ…?今日は寒かったからきてきたのよ
おい中川婦警ってのは毛皮のコート買えるほど給料いいのか!?わしらとえらいちがいじゃないか!
わしなんか署から支給された合成の皮モドキのコートを私用に使ってるというのにえらい差じゃないかくそ!
このコートはもらいものよ交通課の課長さんにもらったのよ
なにっ交通課の課長に!?
あの中年スケベ課長め!裏ではこんなことしてやがんのか…
おまえ…課長と人にいえないような関係があるんじゃないのか?
失礼ねそんなのあるはずないでしょ
たしか…このなんとかいうバッグももらいものじゃないのか?
そのエルメスのバッグ?そうよ防犯課の係長さんにね!

ダイヤの指輪ももらったやつか？
そうよ本庁の刑事局の部長さんにね！
おまえのよくのってくる車…あれもそうか？
ばかねェ冗談よ冗談！
おそろしい女だ……中年男どもにみつがせて生活しているのか…？
優雅なくらししてますね
まったくえらいちがいだよ女でかわいいというだけでいろんな物をプレゼントされて……
男でかわいいといってもオカマにすかれるくらいだろうな…
今日は本当にひえるわねストーブこっちに近づけてよ
あっこら！
ズル
ズル
それひとつしかないんだからな！まん中におけよひとりじめするな！
あんたたち男でしょこの寒さくらい平気なはずよわたしはかよわい女性なのよ！

だめだ… あいつは 女という武器を 最大限 利用 している… ああいわれちゃ かなわん
負けそう ですね
さて 昨日の つづきを しようかな
こう寒くちゃ 仕事に ならん！ 寺井《てらい》 酒 買ってこい
持出禁止
えっ 朝っぱら からかい
!?
朝もヘチマも あるか！ 酒で 体を きよめてから 仕事に かかるんだよ いけっ！
わ わかっ たよ！
大の男4人が なんで こんな スミっこに いなきゃ いけないんだ……
あの 一角だけ 少女マンガの 世界って 感じに なってきた なあ……
Cat

近ごろは変ですよセーターをあんでいるようですそれも男物の…
なにっ男物のセーターだとっ!?
そうかそうだったのか!
あいつめなかなかなか味なことを…
え!?
さきほどはすまなかったね麗子くんきみが上司の私にそのような物を心を こめてあんでくれているとはしらずに…
えっこのセーターのこと…?
残念ながら両ちゃんにあげるのとちがいます
ズルッ
じゃあ中川か? 部長か? 犬か?
みんなちがうわ!
わかったぞ…交通課の課長だな…今度はマンションでも買ってもらう気か!?
かってにきめないでよちがうわよ!
だれにやるんだっいってみろおい!
そんなことかってでしょほっといてよ!

上司といえば親も同様　部下といえば子も同様！
親として権利がある　しる
そんなのないわよ　個人の自由よ！
自由じゃないっいえ！
いやよいや！
あんなガンコな女もめずらしいよちくしょう
先輩でも無理なようですね
あれはきっと男ができたにちがいないぞ　絶対だ！
部長がしったらびっくりしますよ
なんとか相手の男をつきとめるんだ　麗子はだまされてるにきまってる
さっそく尾行ですか？

それじゃお先に!おつかれさま!
おうじゃまたな!
はい!
よし!いったぞ中川こいっ
はいっ
あの車だみうしなうなよ!
COFFEE

おい！そんなに近づくなこの車はすぐ目についてしまうぞ！
しかしはなれすぎるとみえなくなって……
だいたいハデすぎるんだよ
もっと大衆的なカローラやサニーにすりゃよかったんだ！
今さらそんなこといったって！
あんみつ　みつまめ
蜜蜂
酒店
本日ビール
お店にはいりましたよ………
よし！われわれもはいるぞ
えーっあんみつ屋にはいるんですか!?
バレないように変装するんだ！
non-no
冬のコート集

ここで男と あう気だ みろ あの うれしそうな 顔！
ぼくには ふつうに みえますが……
いらっしゃいませ！ なにに なさいますか？
注文か 甘い物しか ねえじゃないか おい 中川 おまえ なんに する？
先輩と 同じで いいですよ
じゃあ あんみつの 塩かけ ふたつ！
え!?
そういうものは やってませんが…
う～～む じゃあ 白玉ぜんざいの アンコぬき！
あるいは みつ豆の 納豆くずし ふたつ！
先輩！
まちあわせの 相手は あの人じゃないですか？
なに!?

すみません 娘と ここで あうことに なってたんですが……こんでいるものでくるまで相席させてもらえますかな?
あんみつ
おしるこ
アイスクリーム
ソーダ水
どうぞ
やはり前の席にすわりました!
あんな中年のどこがいいんだ!?
中川こい! あいつを逮捕だっ
えっ!?
あのちょっと
は…
ムズ
ききたいことがあるので署まで同行ねがいます
署までってわ
私は なにもしてませんよ!
ダッ
あっ また別な男が…!!
なに!?
あの……今 なん時ごろでしょうか?
はい えーと6時……

ききたいことがあるちょっとこい！
あっ
こちらフルーツみつ豆でしたねおまちどうさまです
あんみつ
みつ豆
わたしに近づく男の人ってみんないなくなるわね
先輩なん人つれてくる気ですか!?
じゃこのへんでいいだろう
押ボタン式
亀有公園前派出所
右から順に名前と職業をいうんだ
ゲシュタポなみだよまったくもう！

ふう ようやく完成したわ!
パチン
きのうはえらい目にあった上 結局みうしなってしまったな
先輩の早とちりのせいですよ
なんのこれしきでへこたれてたまるか! 今日こそ! あばいてやる!
先輩やけに気合いがはいってますね
もうそろそろ時間ね!
消火器
じゃあね お先に失礼!
いつも定時に帰るし ますますあやしいぞ
このところ毎日ですからね
さっそく赤のミニクーパーを追いましょう
よしいけ!

スーパー
亀有
大放出!!
スーパー
亀有
今日はスーパーにはいりましたね
まってろわしが調査してくる
下着
東
いたいた
ふくすけ
V首シャツ
ウレタン100%
お…男の下着を買っとる……
ひょっとして男とくらし始めたのか……!?
あら!
ベビーコーナー
丸首パンツ

両ちゃんも買い物にきてたの?
ザッ
いやあ 部長にお歳暮でもと思ってね!
そこは女性のランジェリー売り場よ そんなの部長におくるの?
フランス製ショーツ 2,000円
パンスト 2足500円
ガードル各種
ははは 部長 わりとこういうのがすきなんだよ あげるとすごく喜ぶの…
そう… 変態同士で気があっていいわね がんばってえらんでね
ははは どうも どうも
タオル各種
先輩 そんな物買ってきてきる気ですか?
バカ 買うはめになっちまったんだよ!
それより相手を追うんだよ いったぞ!
亀有本店
Coffee & tea

蜜蜂
みつまめ
あんみつ
結局　また
ここにきたな
また
まちあわせ
ですね
もう…
じれったく
なってきた
相手を
発見しだい
射殺
してやる
先輩！
あっ
きた！
ガラ
やあ
おそく
なって
ごめん！
くそっ
あの色男
麗子を
たぶらかし
やがって！
あっ
おそかった
じゃないの

本当に おくれて ごめん 花子《はなこ》さん!
麗子 まった ごめん ね!
うん ちょっと ね!
ややこしいマネ するなっ くそ!
麗子さんと まちあわせ してた人は 同じ交通課の くらもちさん ですよ
な… なんだと!?
どうやら カギは かの女が にぎってる らしいですね
よし 明日 署で 問いつめて やる!
飲まないで安全運転
あやしい時は110番

麗子に恋人ですって!?
まさか!! ほほほほほ
じつは 口どめされてるんだけど 麗子 今 わたしといっしょにホームヘルパーやってるの ひとりぐらしのおじいちゃんの話し相手にいってるのよ
ホームヘルパーだって!
麗子 勤務がおわったあとに仕事外でいってるのよ!
あのとおり負けずぎらいでしょう よくがんばってつづけてるわよ
それで…男物のセーターや下着を買ってたのか……
……… ……… ………
どうしたの? 今日は みんなおかしいわよ どういう風のふきまわしなのよ!
まあ たまにはゆっくり休んでね あとはわれら男がやるからね!
そう そう 両津の手料理は最高 日本そばのミートソース風納豆くずし…

★週刊少年ジャンプ1978年49号

ギャンブル狂時代の巻

バリン
あたり! メンタンピン ドラドラ 十本場!
ちくしょう あんな手で まってやがった あぶない ところだ!
また ふり こんで しまった
麗子 マージャン 2回目なんて 本当なの かよ?
本当よ 今日の わたし とても ついてるわね
一万点棒 もう1本 かして ください 先輩…
しょうが ねえなあ もう これで 最後だぞ
戸塚は あと どのくらい のこって るんだ?
千点棒 2本きりだ つもられたら パアだよ

中川は ともかく オレや 戸塚は 小学生のころから マージャンを おぼえて ジャン歴20数年 というのに… その ふたりから こうも あっさり もっていく とは…… くそ!
あら! やだ!
やだじゃ ないよ 早くやれよ 親なんだから!
もう あがってるわ 天和《テンホー》が できたわ
もう やめだっ 勝負に ならねえ
やってられ ねえよ! じょうだん じゃねえ!
両さん 部長が くるよ
わかった わかった
計算しとけ 金は あとで まとめて はらってやる
ザーザー
いいわよ お金なんて
相手が だれだろうと 勝ちは勝ちだ そのかわり おまえら からも えんりょなく とるからな
まったく 妙なとこ だけ いさぎいいんだから……
あれが 仕事にも あればね…

いやあ どうも 部長 いつもながら 中年のしぶさが その額に にじんで ますなあ
おせじなど いわんでいい 今日 両津の 先輩だった 屯田《とんだ》巡査が くるからな
消火器
えーーっ 屯田先輩が!?
そうだ やっと あいつも 巡査部長に なったんだ
部長昇任 試験に 38回目で やっと合格し 先日 教育訓練を おわって 今日 ここへ あいさつに くるそうだ!
なんでも 一番 両津に あいたがって いるそうだ きたら よろしく たのむぞ!
ねえ? 両ちゃんに 先輩が いたの?
戸塚先輩 屯田巡査部長 って どんな人 なんです か?
両津の 先輩だって ことで だいたい 想像つくだろ
先輩 きたら ぼくにも 紹介して くださいよ
紹介か… あまり 紹介したく ないが…… しらんほうが いいぞ……
わしは ちょっと パトロールに いってくる からな
こらっ 両津! にげる な!

だめだっ
もう
そこまで
きている
!
本当か!?
いよう
両津
元気で
やってるか
!
まあ
まあ
ですよ
のし
のし
わしの
教え子が
がんばってて
非常に
喜ばしいよ
はははは
それに
しても
立番が
いないとは
たるんでるぞ
こらっ!
中川
いって
こい!
あい
た
なんだ
こいつも
警官
だったのか
もっと
胸を　はって
足を
ふんばって
そう　そう

もっとアゴをひいてこうだ!こう
へえ りっぱでまじめそうな方ね
今のところはな……
そこのマージャンパイ 早くしまっとけ
はい はい!
ギクッ
い…今気のせいかマージャンパイの音がしなかったか……?
いや!全然…
そうか……昔は おまえにかけごとを 全部教えてやったほどのギャンブラーだったからなあ……今は ひかえておるんだ……
しかし…習慣とはおそろしい今も八萬《パーワン》と九筒《キューツ》のあたる音がきこえてしまった…
当時は制服で雀荘《ジャンそう》にでいりしてましたからね…
いやあまったく4日間ぶっつづけでマージャンを……
はっ
こらっこんなとこに競馬新聞をおいとくな!
無意識に赤エンピツをにぎってた…

土曜日が近くなると馬が自分をよんでるような気がしてつらくてなははは
この顔見たら
出走まであと8分各馬 気合いがはいってます
おっといかん! しらぬ間にラジオのスイッチをいれていた
死んでまう
やあ 今度巡査部長になったそうじゃないか!
あっ 大原《おおはら》部長おかげさまでようやくですわはははは
じつは自分は 今ギャンブルだちしてましてね
ほう……ばくち打ち師と いわれた屯田くんがね
自分が 両津にかけごとなんか教えこんだためごらんのようなふしだらな警察官になってしまい…最近は後悔してます
だから両津が 嫁さんをもらうまではギャンブルをやめようと 心にちかったのです…
それは またえらいことをちかったものだ両津が嫁さんをね…
ひさびさに両津をつれてパトロールでもいってきますよ………
あいつの仕事ぶりもみてやりたいははは

いやあ あんたみたいな 美人と 仕事が できる両津が うらやましいよ
どうも ありがとう リンゴでも たべますか?
いやあ すまんね
こいつと パトロールすると いつも バスケットに サンドイッチや くだものを もってきて まるでピクニックですよ
たまにゃ いいじゃ ないか!
両津 射撃の腕は どうだ? うまく なったか…
そりゃ もう 署内で 一番です 発砲件数は!
屯田巡査 十八番 曲撃ち!
シャキッ

ズギュッ
ズギュッ
カパッ
ははは 昔は よく こんなことして あそんだなあ
両津は よく 近所のニワトリを うちにいって 夕食のおかずに したり……
そ そう でしたっけ… そんなこと してたかな?
気分も のってきたし 例のゲーム やるか?
い…いや 今日は 日が 悪そうだし…
なーに そのゲーム って…? おもしろ そうね?
あんた やる? ようし!
まず 拳銃のタマを 一発だけ のこして おく!
パラ パラ
そして 弾倉を 数回まわして OK《オーケー》!
キャリリッ
はい! あんたから 先に やりなさい
どう やって やるの?

簡単だよ
こめかみに
あてて
引き金をひく
だけでいい
こめかみに
あてて…
引き金
を……
きゃあ
さっきの
タマが
最初に
はいってたら
どうするのよ
それがゲームだ
ロシアン・
ルーレットと
いって お互いに
交互に うつ
運が悪けりゃ
タマがでる
そしたら
死んじゃう
じゃないの
実弾がはいって
るんだから!
最初に
はいってると
いうことは
少ないはず
…おっ!
ズギュッ
きゃあ
いやあ
いいカンしてるね
一発目に
はいってたよ
こういうことも
たまには ある
じょうだん
じゃないわ
よ!
秋本有限会社
社員急募!!
やった!

こらっ どこ みて 運転してんだ きさま!
なにっ おまえこそ なんだ! こっちが 優先だ!!
なんだと こっちとら タクシー20年の ベテランでェ
よーし! やるなら やってやろう じゃねえか!
あのふたり ケンカ してるわ
まったく 下町の連中は 気が 短いな!
こらあ やめんかっ おまえら!!
あっ
ダ
かってに ケンカ すんじゃ ねえ!!
警察を だしぬく とは なにごとだ

事情聴取は 警察の仕事だ かってな行動 しやがると ただじゃ おかんぞ！
すーごい！ あっという間に ふたりとも なぐりたおして しまったわ！
取りしらべの あらっぽさは 日本一 だからな…
ふむ ふむ いきなり 相手の車が ぶつかって きたと…
いや！ こいつの ほうが 悪いん だぜ！
だれが てめえに きいてる かよっ こいつっ！
つまり 左折しようと ウインカーを つけてから こうして…
こんな感じで まがろうと したら 前から 車がきて……
そして ここを ぶつけ られた わけだろ ここ！
は… はい…
そして あんたは ここで あてたん だな！ ここで！
ガ
ゴ

じゃあ おまえが悪い！どこに目をつけてるんだ！
ちゃんと標識どおりだったんだ まちがいない
なにが 標識どおりだ！あの一時停止がみえんのか きさまは！
なにいってんだ あれが一時停止なもんか
屯田先輩 しっかりしてくださいよ あれは一時停止のはずがないでしょう
そ そうか オレのしらん間に標識がふえたらしいな！
しっかりおぼえといてください！あれは〝踏切注意〟の標識ですよ
そうだったのか オレはてっきり〝この先 ドライブインあり〟の案内標識かと思ってたよ
あの ふたり よく法令の試験にうかったものね……
オレの判断に文句つける気か さっき みたろ ちょっと 前へでただけだ！
とんでもない！スピードだしすぎだ あれじゃ ブレーキも間にあわない！
それに こっちの車が悪いですよ いきなり せまい道から とびだしてくるから…
なに！

まあ まあ お巡りさん 私のほうも 多少 注意 不足でしたので……
うるさい! おまえの でる幕じゃ ねえ! ひっこんでろ
そのへんで いいですよ わたしたち 示談で すませ ますから…
やかましい! だれが でてこいと いった!
バキッ
ああなったら もう 近づかない ほうが 身のためよ
ようし! それなら 勝ったほうに 5万だ! かけるか!?
けっこう 10万でいい 10万!
じゃあ まず 私の意見で 事故前を 再現します 先輩は そこに のってて くださいよ
よし いい だろう!

そう！そのように目の前に急に でてきたわけです！
そこへこの車がおもむろに………!!
ギャリリリリ
……と まあ多少ぶつかり方はことなりますがこのようにぶつかったのですよ
それじゃオレの意見もきいてもらおう
ド
うわっ
ぬぬぬ…… そ…そうか…ようくわかった！
オレのはもっとはげしくみえたぞ！

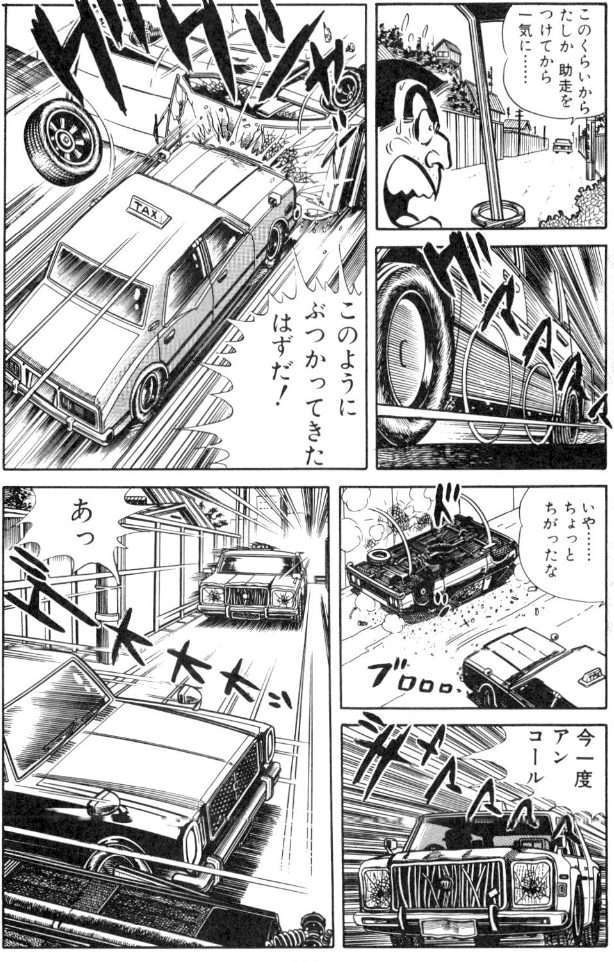
このくらいから
たしか 助走を
つけてから
一気に……
このように
ぶつかってきた
はずだ!
いや……
ちょっと
ちがったな
ブロロロ
あっ
今一度
アンコール

ガリガリガリ
こいつ! いきなりなにするんだっ!
警察をよんでこ… あれ…? 警察…!!
どうもわざわざご苦労さんですね
は!? ああ… いえ!
それではすみやかにおもどりください
バカな 車がメチャクチャじゃないか あんたのせいだ!
だから悪かったって あやまっているだろ このやろう
は… はい! どうも…
おい 両津 10万 早くよこせ!
いたた のるな!

ええ そうなんです 手が つけられ ません…… すぐ きて ください!
あれ? どうした… 運転者の ふたりは?
もう とっくに にげてしまい ましたよ!
ピーポー
ピーポー
あーっ パトカーだ みつかると まずいぞ
ちくしょう 麗子のやつ おれたちを うりやがった!
早く にげろ!
今度 始末書 くらったら 部長から 降格だ なにしろ 100枚目だ からな
さすがに 先輩だ 私は まだ 30枚で…
お! いい音が きこえるじゃ ねえか!
本日10時開店
出血大サービス

両津たちめ どこへ にげたん だ…？
部長 パチンコ店で 警官 ふたりが 打ち止めに してるそうです
なに!?
いやあ よくでるなあ
おい 両津 そっちは なん台目だ
バッチリ バッチリ 9台目 ですよ!
あっ かっぱらいだ!
ちっ しまった!
なにっ かっぱらいだと!?
両津! やつを つかまえろ!
がってんだ!!

でやあーっ ラグビー部じこみのタックルだ
ズ
ぎゃっ
ガッ
仕あげはドロップキックだ
オレたちコンビにかなうとでも思うのか!
まったく……
おまえたちここにいたのか!
あっ部長!!
この男 骨折してます 全治一か月です
えっ
おまえら かけごとがすきそうだな わしは 両津と屯田が3日以内に懲戒免職《ちょうかいめんしょく》になるほうにボーナス 全額かけよう!
ぼ ぼくも首になるほうに退職金を全部かけます

★週刊少年ジャンプ1978年50号

有公園前派出所
立入禁止
放火したらあかんたい!!
土俵の鬼!?の巻
おい 両津 あの連中なんとかならんか? うるさくて仕事にならん!
なに!?

レストラン
ねこの肉
警視庁

交通課の女たちだよ 麗子とさっきからずっとしゃべりっぱなしだ…

コーヒーやケーキをたのんだりまるで ここをサテンとまちがえていやがる!
うーんけしからんな!
よし!上司として少し注意してくる…!!
おい こらっおまえたちいつまで休んでんださっさとパトロールにいかんか!
LOVE
いいじゃないの同期生で久しぶりにあったんだから…
いかん……!
だいたいおまえらは職務中につまらんことぺちゃくちゃぺちゃくちゃと……
あ そうそうこれ みんなからみなさんへって……
酒

きみたちも ゆっくりしなさい コーヒーでも えんりょなく 注文して いいからね
まったく 物には弱い！ 態度が すぐ かわる
ね！ もう 始まるわよ 早く！
早く テレビ テレビ！
きゃあ 大《だい》ちゃんよ チョンマゲが かわいいわ
やっぱり スマートで ハンサムな 貴《たか》ノ花《はな》が 最高よ！
わたしは 蔵間《くらま》よ！ あの丸い顔が ステキよ！
しーっ 今 長岡《ながおか》さんが やるんだから しずかに して！
きゃーっ 勝ったわよ！
わーっ すごい！
なに さわいで いるんだ あいつら？
相撲 ですよ 今 若い人に 人気が あるでしょう 長岡《ながおか》とか 麒麟児《きりんじ》など…

相撲はなんといっても栃《とち》ノ海《うみ》だな！
栃《とち》ノ海《うみ》？
しらんのか!?あのガブリ寄りのものすごさ!!
へぇ
それから人間起重機・明武谷《みょうぶだに》のつりこれもすごい
あと……鶴《つる》ヶ嶺《みね》のさし手にみせる名人芸！これはすごかったおっと弾丸・房錦《ふさにしき》を忘れちゃいかん
なにしろこう相手にくみついて…
あ
こう下手投げできめる!!
今のは若乃花《わかのはな》風の下手投げをやってみたけどな…
おれは北葉山《きたばやま》がすきだったぜ…！
いたいた！いぶし銀の北葉山《きたばやま》！

あのころはテレビがなくて街頭テレビだったからなあ……
わしなんか近くの電気屋にイスもって いって みてた2時間も!
若浪《わかなみ》なんかも人気あったな
それそれ! 荒技師若浪《わかなみ》! 最高!!
なにしろこうがっぷり四つになると…
も…もうけっこうです!
ガッ
中川 おまえ腰が弱いぞ もっとグッと おとさんと いかん 今度おしえてやる
用心
は…はい!
いやあ気分がのってきたぞ よく ガキのころは……
今のは寄り切りよ絶対!
ちがうわよ! サバ折りって いうのよォ
サバ折りですって?
火の用心
ん!? どうしたね…きみたち
両ちゃんサバ折りってどういうの!?
しらんのか? 朝潮《あさしお》の得意技だ

相手のまわしを深くとり 一気に 骨を折るごとく…
きゃあ――っ!!
なにするのよ! 変態!
ゴキ
先輩はサバ折りをおしえようとして…
いきなりすることないでしょ
だいじょうぶかっ 両津!?
いてて… あいつ灰皿で思いっきりたたきやがった
じゃ麗子 また 明日テレビ みにくるわね
うん じゃあね
もう 二度とくるな! こっちは迷惑だ!
大変 部長さんがくるわよ
本当…!?

ん？なんだ両津…？わしがくると迷惑か…!?
ブロロローー
いや その…部長にじゃなくて その…ミニパトの…
じつは町会で相撲大会があり行司役をやってほしいということなんだ…
相撲大会!?
子どもの相撲大会だ 両津は相撲が大すきだったろう！
いやあ それほどすきというほどでも…
大会は今度の日曜だ がんばって行司やってこいっ われわれもみにいく
人の都合もきかず簡単にきめやがるなあ……
先輩ぼくらもみにいきますよ！
ゴミ収集日 朝8:30までに 絶対に

恒例
こども相撲大会
亀有町会
ガヤ
賞品所
ガヤ
ガヤ

先輩！
そろそろ
時間ですよ
まってろ
まだ
着がえ中だ
着かえ所
あらあ
両ちゃん
五月人形
みたい！
のぞくな
スケベ！
あの行司さん
の衣装
借り物ですので
ていねいに
あつかって
ください
はい
いって
おきます
あっ
あのおじさん
おもしろい
かっこしてる
うるせえ
あっちいけ！
しっ　しっ！
早く
いきま
しょう
ちぇっ
みっとも
ねえなあ

この下に
なに
はいてるの?
おじさん…
ズルッ
ぶっ
とばすぞ
このガキ!
まったく
悪ガキが
多くて
こまった
ものだよ
ん☆
ご案内
まとい
つくんじゃ
ねえ
こいつ!
ご案内
本当に
アリみたいな
連中だよ
さあ
どうぞ
こちらへ
今日は
よい子の
みなさんのため
お巡りさんが
行司をして
くれますよ
パチ
パチ
パチ

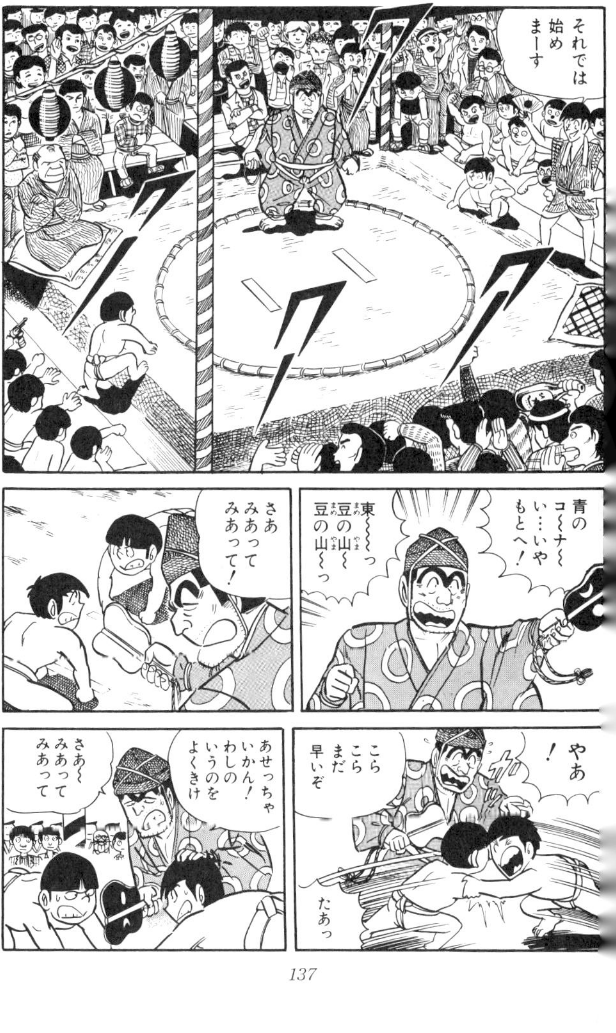
それでは始めまーす
青のコ～ナ～い…いやもとへ！
東～～っ豆《まめ》の山《やま》～豆《まめ》の山《やま》～っ
さあみあってみあって！
やあ！
こらこらまだ早いぞ
たあっ
あせっちゃいかん！わしのいうのをよくきけ
さあ～みあってみあって

やあーっ
ガッ
こらっおまえら！
早すぎるんだよ
ガク
わしのいうことが守れんのかおい！
つ…ついでてしまった……
いやあじょうだんだよ！じょうだんはははは
さあのこったのこった
あっ
ガッ
ゴロッ
うわっ
きゃあーっ

先輩！その衣装は高いんですよ気をつけてください！
わかったわかった
気をつけるよ！
さてちびっこのみなさんもきまりました次はいよいよおとなの勝ちぬきです
パチ
パチ
パチ
5人ぬきの方には音声多重用テレビをさしあげますふるって参加してください
ふうーつかれたつかれた
どうもおつかれさまでした！
衣装がホロボロた……
両津！5人ぬきに出場したらどうだテレビがもらえるぞ
テレビ…もらえるの？いいねえ！

どすこい!
さあ 5人目です あと ひとり どうです いませんか!?
いるぞ いるぞ!
そう 簡単に テレビを とられて たまるかよ
でたわよ 両津さん!
でも 無理ねえ 相手は 元お相撲さんよ!
先輩 気をしめて くださいよ
おう

のこった!!
ああっあぶない!!
やはり元プロだな…
お巡りがこんなに力なくていいのかい
な…なに!
図にのりやがって…
なめんじゃねえ!!
うわっ

どりゃあーっ
ボディースラムだ!!
賞品がかかってるとすごい力をだすなあ…
すっごい負かしちゃったわ
やはり変態…いや!怪物ね!
きゃっ
さあいよいよあとひとり出場者いますか?
戸塚おまえこいよ!そうすりゃバッチリよ
へへへよし!
あら?あの人派出所の人よ!
まあずるいグルになって負ける気だわ!

行司さん その人 両ちゃんの 仲間よ!
インチキ して 負ける 気よ きっと!
ほお……
おもしろい こという 娘さんだ
よろしい! しからば あんたが 挑戦する!?
さあ ふんどし しめて いらっしゃいよ ほら! えんりょしないで
こない の…?
残念 だなあ じつに……
それじゃ しかたない そこで みてなさい
むこうの ほうが 頭 きれる ようよ 麗子……
もう! 頭 きちゃう わね!
のこっ た!
5人目 だからな 豪快に いこうぜ!
よし!

★週刊少年ジャンプ1978年51号

ホワイト・
カメアリの巻

ガラッ
うわっ
うひょ すげえ ーーっ
本当だ！ 一夜 明けたら 銀世界だ！
だれも きてないぞ わしが 一番のり だ！
ダッ
ドサッ

いきなりとびだすからですよ
くそ！不意うちをくらった！
あいたっ
ドッ
ワーイ
ワーイ
ちくしょうあいつらだな！
やられっぱなしでいると思ったら大まちがいだ
この悪ガキどもめ!!
ドカッ
うわっ
どうだ！思いしったか!!

パ
ャ
ガ
このやろう
雪の中に
石を
つめやがったな!
もう
ゆるさんぞっ!
こいつら
ドドドド
ぐわっ
かかったぞ
うめろ
うめろ!
早く
完全に
うめろ!!
バ
ツ
バ
ツ
ようし
こんな
もんだっ!
うん!
そんな
もんだ!
まったく
先輩は
どこまで
いっちゃった
のかな?

かげんという物をしらないからなあ
うわっ
ぷはっ
ズボッ
なにしてるんです!? 雪の中にうまって!
あのガキどもだっ! もう少しで死ぬところだった!

はあーい
ん!?
ジャアアアー
なんだありゃ!?
ザザザッ
あらごめんなさい!かかった?
みりゃわかるだろうが!
せっかく雪をだしたのにくそ!
どうしたんだそのスノーモービルは…?
レンタルよ…スポーツ店で貸しだしてるのよ
そうか雪で乗り物全部マヒしてるからなあ……

麗子 おもしろそうだな わしにも乗らせてくれ…
だめよ 普通免許なけりゃ乗れないのよ
そんなかたいこというなよ お巡りもみてないし わかりゃしないよ
これがスロットルレバー これがスターター スイッチ これがチョーク… わかった?
う…… うーむ
これがストトンレバーで これがスタタンスイッチ これがジョーク…
ちがうわよ! これがスロットルレバーよ
えーと これがロースとレバーで…
これがライトスイッチで これがホーン
なにこれがコロンビアライトで これがゴホン!
そしてこうするとブレーキがロックするの
こうするとブレーキがロックンロールをおこし…
どう! これでわからなきゃ乗せないわよ!
うーむ 少しずつわかりかけてきた………
取り扱い方!
バックミラー
スピードメーター
ライト
ハンドル
キー
ブレーキ
アクセル
車体
スターター
ティザー
チョーク
ゼイ ゼイ
ちょっとまってよ わたしまでこんがらがっちゃうわ!

その①スターター
スイッチをおす…
その②ブレーキレバーを静かにもどし…
ドドドド
ふぎゃあああ～
はじめからあんなにとばしてだいじょうぶかしらね
ビィイーー
まあ多少はぶつかっても雪だから平気と思うけど…
ガタガタして 字がよめんぞ
えーとブレーキは……
こらぁどけ！あぶないぞ

どこまでいっちゃったのかしらねえ…？
なあにまた突然もどってくるさ！
空からふってくることないでしょうまったく！
いててて なにしろ…あっという間のできごとで…
どうもそれはわしにはあわん！
機械のほうもそう思ってるわよ！
これのが安全だ！
？
それでどうやってすべるの…
まあみていろ！
たったったっ

バ
ザーッ
ヘーイ サーフィンUSA《ユーエスエー》
まったく あそぶことに かけては 天才的 ねえ…
まったく なんでも 利用しちゃう からなあ
おじさん それ おしえてよ
よし! ジュラルミンの タテを もってこい
両ちゃん なんとかして! 子どもたちが あつまって きちゃったわ
この雪で 学校も 休校に なったんだろう
そのヤツ もう一台 かりてこい!
えっ!
今日は 雪で 仕事に ならん 休みに しよう!
かってに きめて しまうん だからな

ようし！みんなひとりずつ乗せてやるよ！
わーい
YAMAHA
中川おまえ運転できるのか？
バイクと同じ要領でしょう簡単ですよ
うしろにしがみついてるだけじゃつまらん！ちょっとまってろ！
なにする気なの？
ちぇっあいつはなんでもできやがるなあ……
両ちゃんわたしのに乗っけてあげるわよ

うわあーっすごいや!!
しっかりつかまっているんだよ!
ザザザザ
あっお巡りさんがハダカできた!
なんだって!?
わっ先輩!
よう!水上スキーならぬ雪上スキーだ!
ビィイイイイン
250 YAMAHA

それにしても よく まあ あんな姿で 寒くない ものだな
あ!!
すーべる スキーの 風きる はーやーさー
ザザ
きゃあ
ググアアア!!
ばかっ! いきなり とまるやつが あるか!
あぶないわねえ! あんなに スピード だして!!
ビィーーーッ

だいじょうぶか!?
ええまったく頭にきちゃうわ!
あれ!パトカーか!?
チャリ チャリ チャリ
スノーモービルの男が今にげてきたか!?
ああすごいスピードでな!
ついさっき宝石店のショーウインドーがこわされ宝石がぬすまれたとこだ!
この雪で交通がマヒしてるのを利用しての犯罪だ!パトカーじゃ動きがとれん!
今ならまだまにあうわよ!
中川追うんだ
はい!
ダッ
ズザザザ
バババ

ブウィ…ン
いたぞ!
ザザ
ザザザ
ザザ
ブゥン

くそ！
追ってきやがったか
ドシュイーーッ
あっ
高速道路へはいったぞ!!
むこうは
2サイクル
7ポート
440cc《シーシー》の
ハイパワーよ
どんどん
ひきはなされていくわ
運転にかけてもベテランよ！
くそ！
ビイイイイ

左へ急カーブします！先輩も協力してバランスをとってください！
よっしゃ
ドダーッ
うわっ
右にかけてどうすんです まがる方向に体重をかけるんでしょうが！
す…すまん ついうっかり！
中川！ここからとびおりよう 一気に追いつくぞ
え！
ようし いちかばちかだ！先輩 よくつかまっててください！
よし！
グアアアアア

このまま
次のインターに
にげこめば
いいぞ！
うまく
いったぜ
ん!?
うわっ

★週刊少年ジャンプ1979年2号

歳末サバイバルの巻
御用
持出禁止

おや…みかけん箱があるぞ！なんだそれは…？
持出禁止
さあ…みたことありませんけど…
両津のか？いったいなにがはいってるんだ
両津
あっなくなった始末書がこんなとこにかくしてあった！
そういえば先輩のロッカーから拳銃の部品がゴロゴロ…
なんだと！
酒屋ですが6か月分ツケがたまってるんですよ
うちも4か月だ年内にもらわないとこまりますからね
わたしも絶対もらいます
あの…両津巡査長いますか
えっ
休むっていってたわ
うぬ〜〜〜〜両津は今日まだきてないのか!?

正月休みを早目にとってハワイで　海とたわむれてくるっていってたわよ
バカが！あいつは八丈島《はちじょうじま》にいく金ももってないはずだ！
駅前の喫茶店あたりでさぼってるにきまっとるつれてこい
本当にいるかしら
Hamburger
ハンバーガー
田園
時計
うぬっくそ！なめやがって！
ピコ
ピコ
ピコ
本当にここにいたわ行動が単純なのね
くそうイカサマだ100円かえせ！
なんとかいえっこら！
ガタ
ガタ
ガタ
ガタ
人間さまをおちょくるとはいい度胸だくそ！
あの〜

となり あいてる かしら?
そ そりゃあ もう 目いっぱい あいてますよ どうぞ どうぞ
ははは 今日は いいお天気 ですねえ
そうでも ないわ
めにゅ～
よかったら おごります この店の コーラは うまいですよ なにが いいですか?
そうね
一本 9万円の ワイン ロマノ・コンティ おねがい するわ
めにゅ～
あっ おまえは 麗子!
さあ きなさいよ 大そうじを さぼって こんなところに かくれて いたのね…
まってくれ みのがして くれ!
まずいんだ 借金取りが くるんだよ

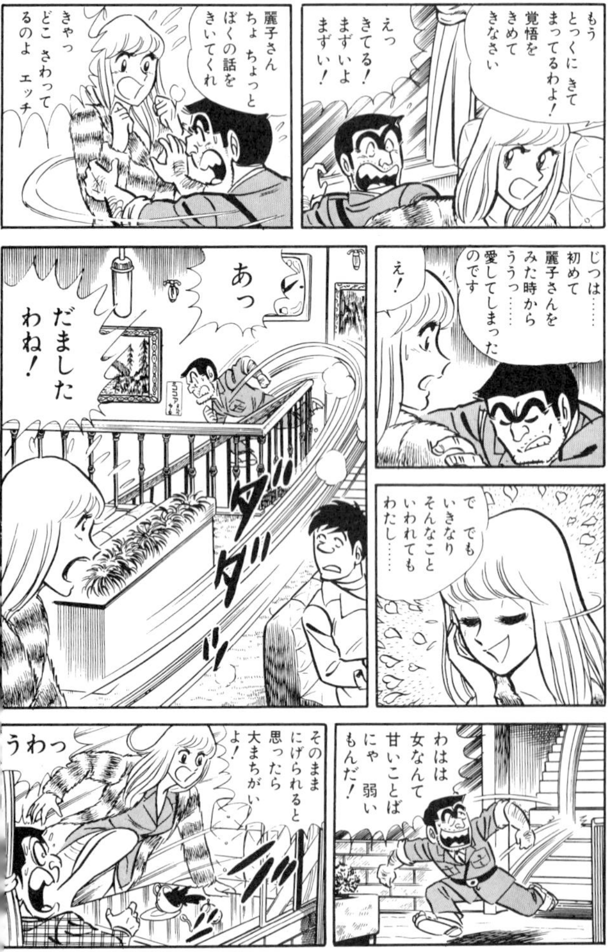
もう とっくにきてまってるわよ! 覚悟をきめてきなさい
えっ きてる! まずいよ まずい!
麗子さん ちょ ちょっと ぼくの話をきいてくれ
きゃっ どこさわってるのよ エッチ
じつは…… 初めて麗子さんをみた時から うぅっ……愛してしまったのです
え!
で でも いきなりそんなこといわれても わたし……
あっ
だましたわね!
ダダダッ
わはは 女なんて甘いことばにゃ 弱いもんだ!
そのままにげられると思ったら大まちがいよ!
うわっ

ぎゃあ
動くと うつわよ
きさまは 女スパイかっ そんなとこに 拳銃 かくし やがって!
おまえは 交通取りしまり より 女刑事に なったほうが いい!
うるさいわ ねえ! さっさと あるきなさい!
有公園前派出所
おっ きた きた…
こらっ そうじを さぼるとは なにごと だっ!
酒代 はらって ください よっ
定食の ツケ 今日中に もらいますよ
米代 早く!
ちょっと いっぺんに いわないで
まず この人たちの 借金を かえして やれ!
かえし たくても 金が ない!

ボーナスはどうしたんだ今月 もらったばかりだろう?
わずか3日間で影も形もなくなりまして……
とりあえず今 ある金を全部 だしてみろ!
ああ!
その金はやめてくれ正月のもち代だあ
全部で860円か… よく 今まで生活してきたな…
まさに都会のサバイバルね……
先輩 それしかもってないんです先週 有馬《ありま》記念で全部 もってかれたそうです
あのバカのやりそうなことだ……
これっぽっちしかもってないで借金をどうやって返す気だ
おい両津!
だから……正月 日通《につつう》でバイトやって少しずつ返そうかなと……
ばかものっ公務員がアルバイトしていいのか!
みてのとおりこの男は 少しダメな男なもので……わたしが 責任をもって 返させます今日のところはすみませんけどおひきとりください
まあ部長さんがそういうならしかたがないな…
そうですね…

わたし まだ ボーナス あるから 少しなら 貸してあげても……
だめだ あいつは 甘やかすと クセになる! きびしく せんと いかん!
それじゃ たのみ ましたよ
ぶつ ぶつ…
どうも どうも
まったく あきれたものだ あんな金で 人なみに 正月を むかえられると 思ってるのか!?
そうよ 料理も 買えない わよ!
へへ そしたら また 去年みたいに 部長の家に 正月 いこう かと……
正月は 娘たちと いなかへ帰る 予定だ 残念だな
えっ!?
それじゃ 中川の家に やっかいに なるよ!
ぼくも 正月は スイスへ スキーに いってしまう から……
麗子さん 愛してる 正月 遊びに いくから…
あら〜〜 残念ね グアム島《とう》で 6日まで 遊んで くるのよ!

なあ みんな
仲間じゃないか
みすてないで
くれ〜〜〜っ！
ズズ
両ちゃんも
実家へ 帰れば
いいじゃないの
いろいろと
事情があって
帰れん！
男は
つらいよ
帰っちゃえ
ばいいのよ
だいじょう
ぶよ！
勘当《かんどう》の身で
おめおめと
帰れるか！
男の意地だ
女に わかるか
それこそ
変な意地よ
男らしく
ないわよ！
部長
なんとかして
やってくださいよ
先輩が
かわいそうです
まったく
年末に
なってまで
心配かけて！
わかったよ
正月は 水のんで
ねてれば
いいんだろ！
上等だよ
水で生活してやる！

まて 両津！ それなら こうしよう
今日 ここで おせち料理 つくって くばるところだ 麗子さんの 買いだしなどの 手伝いを やるんだ！ そうすれば アルバイト料を はらってやる どうだ？
は…はい 金のため なら……
へへへ 麗子さーん よろしく おねがい しまあーす
じゃ 足手まといに ならないよう ついてきな さい！
あのアマ〜〜 図に のり やがって… くそ〜〜
まあ 先輩 金のため 金のため！
スーパー満
お正月食品大特売 12月1日〜12月31日
菊花かぶ
こぶ巻き
年内は 休まず 営業いたします。 満
おせち料理 大売出し 大特価 大人気
魚類
よォ〜 まだ 買うのかよ もう いいよ！
あと 黒まめと カマボコを 買うのよ

おっ カツオのぶつ切り 酒のさかなに最高!
ねえ 麗子さん これ買ってよ これ!
だめよ そんなのおせちに使わないもん
ちぇっ しみったれめ あいつはよほどケチで強欲な奥さんになるぞ!
なにかいった?
いえ めっそうもない 私は 悪口など いってません!
次は魚屋へいくわよ
魚なら ここにも 売ってたぞ!
レジ
年末にはいると なんでも 高く なるわね
魚荘
へい らっしゃい
なまはスーパーより専門店のほうがいいのよ
ちぇっ あんなもん くっちまえば 同じじゃねえか!

このタイ高すぎるわまからないかしら?
年末だからそれ以上安くならないよ
たい 1,500
麗子! こういうこたあわしにまかせろ
なあ魚屋さんよタイをまけちゃくれねえか?
ついでにそこのエビも12~13本あるとはなやかになるんだがな
ど…どうぞすきなだけ
アメリカザリガニ
コレラエビ 1匹 100円
タイ5匹で100円なんて信じられないわ両ちゃんまかすのじょうずね!
なんの! 男同士信頼と合意!! わかりあえるものよ!
さあ腕によりをかけておせち料理作るわよ!
グツ
グツ

わるいけど今度はそこのナベあらってくれる
はいはい
だせぇぜ!!
ほうなかなかよく働くじゃないか
あとでおせち料理をわけてもらえるからがんばってますよ ははは
うるせえなそんなとこにつったってんなじゃまだっじゃま!
ぐあああ骨がはずれた
!!
はあーい麗子ちゃーん
うわぁこの栗キントンおいしそうだね
まだみるだけよ
こらったべちゃだめったら!
たべてないよ!

じゃあ このほっぺたの ふくらみは なにさ！
ぶへっ
ぎょおっ 歯の中に クリが はさまった
まじめに はたらか ないと 給料 あげない からね！
BEER
そこの 煮物と 酢の物 むこうに もってって いいわよ
くそ！ わかった よ！
はあーい みなさーん おまちー 第一部 完成 しましたよ
消火器
わたし が……？
そうだ この一年の 罪のつぐないと 地域住民に 対し お礼を こめてサービス するのだ！
それらを 派出所の前で 近所の人たちに くばるんだ
自分で たべるなよ あとで 検査 するからな
わかって ますよ！

早いものですね 今年も あと わずかですね
うむ くる年も 大きな事件が なければ よいがな……
ガヤ ガヤ
だいぶ 外が にぎやかだ 両津は ああいうのが むいてるな
まったく 道を まちがえた というか… ん!?
さあ 200グラム 150円だ! はいっ まいど!
400グラム 買うから まけてよ!
よっしゃ 本日は 特別サービス 200円でいい もってけ どろぼう!!
150円
だれが 売れと いった! だれが!!
大安売り

くばってあげろといったんだ警察が物を売るな!
つ…ついおとそ代にでもと…魔がさして……
おまえは一年中魔がさしっぱなしだろうが!!
ちょいとお巡りさん手伝ってもらいたいんだがね……
モチつきをやるところだったんだが男手がたりなくてね手伝ってもらえるかい
そりゃあ もうこの男を十分使ってください
力だけがとりえですから10ウスくらい休みなく動きつづきますよ
わしは自動モチつき機か!
さぼったらムチで たたいてください また動きだします 両津 しっかり社会の役にたつんだぞ!
部長! 10ウスも無理だ 体が こわれちゃうよ!
モチつきだって! おもしろそうね ちょっといってくるわ!
すぐもどってくるんだぞ
ぼくも初めてだからみてきます
おいおい そんなにいくのか…

お巡りさんにも一枚 あげるよ バイト料も はずむから がんばって おくれよ
へ・へ・へ それを 先に いってくれりゃ いいのに! まかせとけ!
これで おせち料理と モチは 確保できたぞ 来年は ついてるぞ
そりゃ
どおっ
でやあーっ どりゃ
だあ おりゃ
ほれっ ひとうす あがり!
つぎっ
どりゃあ
す… すごい パワー ね
脱穀機 顔負けだ よ!

両ちゃん
わたしにも
やらせてよ！
ようし
やってみるか！
もっと
腰を
おとして…
グッと！
キャアアア
麗子なあ
いちいち 体
さわるたびに
高い声を
はりあげるな
だって…
そうだ
その
姿勢で
思いきり
ふりかぶって
やってみろ
はい
いち
にの…
ゴ
先輩!!
女は
ひとつのことしか
頭に はいらん！
苦労するな
ほう
やっとるなあ……

★週刊少年ジャンプ1979年3・4合併号

年ごろ!?の巻

浅草《あさくさ》　浅草寺《せんそうじ》　昭和《しょうわ》54年　元旦
前をあけて前をあけて！

すみやかにどきなさい！
前方の子ども早くちりなさい!!
はいっ
前をあけてね
前を！
警視庁
新年一番のりだ！

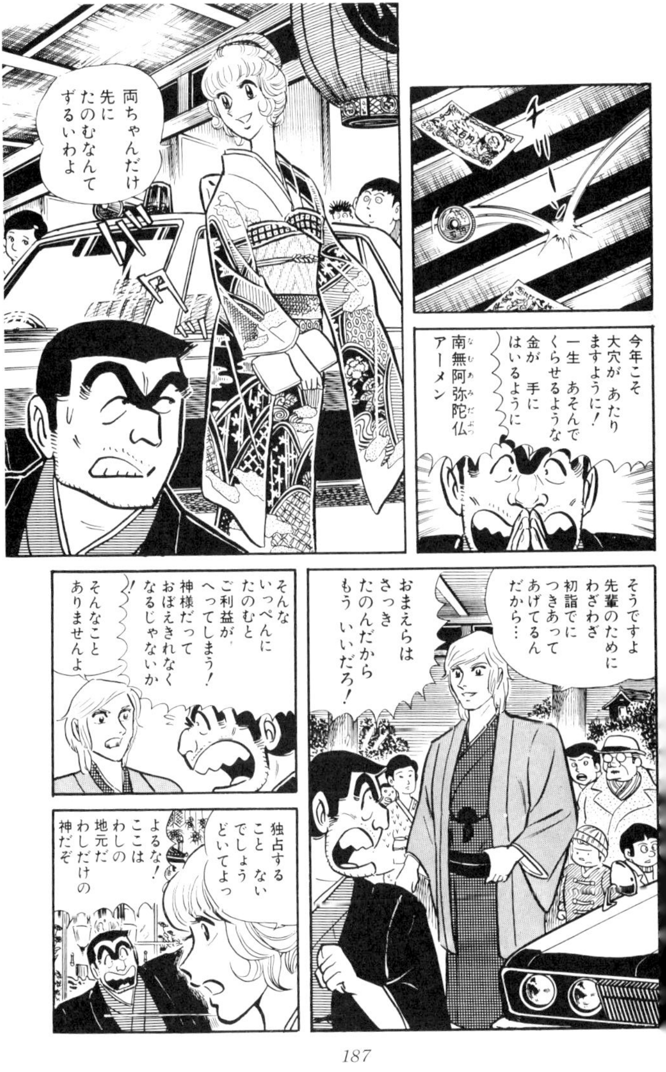
今年こそ大穴があたりますように！一生あそんでくらせるような金が手にはいるように
南無阿弥陀仏《なむあみだぶつ》アーメン
両ちゃんだけ先にたのむなんてずるいわよ
そうですよ先輩のためにわざわざ初詣でにつきあってあげてるんだから…
おまえらはさっきたのんだからもういいだろ！
そんないっぺんにたのむとご利益がへってしまう！神様だっておぼえきれなくなるじゃないか！
そんなことありませんよ
独占することないでしょうどいてよっ
よるな！ここはわしの地元だわしだけの神だぞ

あんたたち こんなとこに 車 のりいれて なに さわいで いるんだね こまるじゃ ないか！
あっ 警備の 人よ！
うちの先輩が 初詣では 無礼講だから 車で 参拝しても いい風習だと ………
ばかなこと いっちゃ いかんよ
じゃ さっそく どかし ますよ
みくじ 二十円
そんなとこで おさい銭 ひろってる 場合じゃ ありませんよ
おしい！ 下に 一万円札 はいってた のに！
正月から そんなこと していると バチが あたり ますからね
ブロロロロ

門
すみやかに どきなさい 通行の じゃまです
東京の 初詣では どこへいっても 人が 多すぎ ますね
ほんと! まるで 歩行者天国 みたいね
中川 かしてみろ いいかたが てぬるいんだ!
えっ
てめえら じゃまだってのが わからねえ のか! ひき殺す ぞ!
冥土《めいど》へ 初詣でに いきたい やつは 前に でてこい!!
やりすぎ ですよ また おこられ ますよ
ちぇっ せっかく 拳銃も もってきた のに!
でも だいぶ まわったわね 柴又《しばまた》の帝釈天《たいしゃくてん》から 始まって 明治神宮《めいじじんぐう》 靖国神社《やすくにじんじゃ》 湯島天神《ゆしまてんじん》 本門寺《ほんもんじ》 そして 今の 浅草寺《せんそうじ》よ

あと 上野《うえの》の
寛永寺《かんえいじ》を
わすれちゃ
いかん！
よっていこう
まるで
初詣での
ハシゴに
なってきたわ
その通りを
ぬけて
右へいくと
昭和通《しょうわどお》りに
でる
このあたりの
地理は
めっぽう
くわしいぞ
地元の
ヌシが
いて
たすか
るわ！
でも さすが
冬ねえ
外へ でると
寒いわ…
へへへ
そこは
バッチリよ
ポットに
酒いれて
きた！
みんなで
のもうぜ
中川
のむか？
ぼくは
運転中
ですよ！
えんりょ
するなよ
こいつめ！
ぐっ
いたたた
はなして
ください
きゃあ

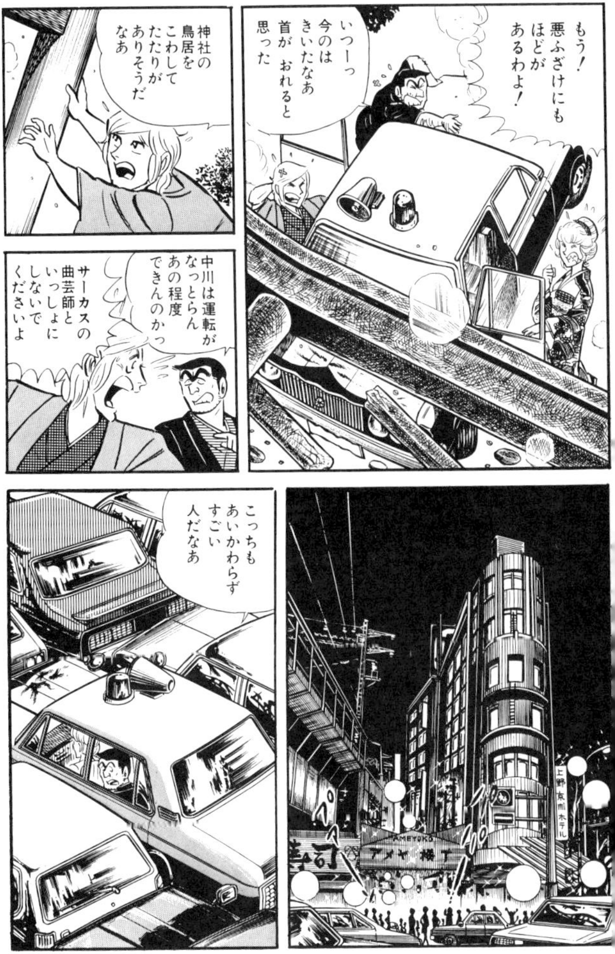
もう！悪ふざけにもほどがあるわよ！
いつーっ今のはきいたなあ首が おれると思った
神社の鳥居をこわしてたたりがありそうだなあ
中川は運転がなっとらんあの程度できんのかっ
サーカスの曲芸師といっしょにしないでくださいよ
AMEYOKO
アメヤ横丁
上野京成ホテル
こっちもあいかわらずすごい人だなあ

寛永寺はどっちにあるんです…?
むこうだ 上野公園をぬけていったほうが近い
公園の中に車で はいっていいんですか?
かまわん めでたい正月は無礼講だ
なんでも無礼講にしちゃうんだから
ねえ どこかで休まない? さっきからずっとのりっぱなしよ
そうだなあ…
よし! あそこでお茶でものんでいこう
ぎゃあ
どうした? えんりょせんではいっていけっ無礼講だ!
やはりまずいみたいですよ
まったくこのふたりにはつきあいきれないわね!

アメリカンね
わたしもアメリカン
コーヒーのウイスキーわり
あいにくそのようなものは……
ちぇっねえのかよ…！
アメリカン
カメアリン
いっしょでいいやパンアメリカンね！
ただのアメリカン
もう4時すぎだわ時間がたつの早いわね
麗子も和服きるとけっこう女らしくなるもんだな
本当にみなおしたよ
まあそんな！
圭《けい》ちゃんだって健《けん》さんみたいでにあうわよそれに……
両ちゃんだって……
うんわしは？
福助《ふくすけ》の登録商標みたいよ！

中川は 高倉《たかくら》 健《けん》 わしは 福助かっ
ビッビーー
あっ 車を どかさ ないと!
いいわ わたしが やるわよ
悪いね!
しかし なかなか 色っぽく なったね いくつに なるんだ?
今年 成人式だと いってました
すると 19歳か… "娘十八 番茶も 出花"ってね たべごろ だねえ…
ふだんは 制服 きてる から さっぱり わからねえ からな……
でも あいつは 少し おきゃんな とこがある あれだけは 一生 なおらん だろう
それに 小姑《こじゅうと》みたいに 口うるせえしな きっと 口から 先に 生まれたんだ おまえも そう 思うだろう?
いいえ 全然!

小姑《こじゅうと》で
わるう
ござい
ましたわ
ね！
あちちち
顔が ヤケド
したあ！
人が
いないと
いいたいこと
いって！
でよう
ここに
いると
ロクなこと
ない！
あっ
先輩!!
おっと
ドン
いてっ
ヒック
気を つけろ
この
よっぱらいめ
ウイッ！
なにっ
よっぱらって
いるのは
おまえだろうが
まったく
かりものの
着物だって
いうのに！
おっとっ
と！
ゴツ

気をつけろ ウイッ このよっぱらいめ!
こっのやろう~~~
ぶっとばして目ぇさまさせてやる!!
先輩 こらえてくださいいっ
正月早そうケンカなんてまずいですよ 部長にしれたらそれこそ…
うぬ…ちくしょう!
どうした!? やるならやってやるぞ ウイ~~~ッ こい このっ ウイ
うるせえ 早くきえろっ
ウイーッ よっぱらいをからかうとおもしろい がっははは
なんやねん あんちゃん ケンカ売る気か……!?
ドン
おっとと 気ィつけろこいつ!
あっ やくざだ!

なにっ やくざだと！
あわわわ！
上等やないけ！
きゃあ
あんちゃん 人をやくざよばわりしてタダで帰れるんと思うんか
きゃあ
やかましい！われら
あのよっぱらいの人やくざにからまれてるわよ
フン いい気味だ ざまあみやがれ
みんなみてるだけでたすけようとしないわよ 両ちゃんたすけてあげて
酒にのまれるような男にゃいい薬だ！
いいわよ わたしひとりでいってくるから！
あっ 麗子さん！
あんたたち やめなさいよ！

大の男が
大勢 よって
たかって
ひどいこと
するのね!
ほう
ずいぶん
威勢のいい
ねえちゃん
やないか!
それに
なかなかの
美人や!
どや
わしと
つきあわん
か?
気やすく
さわら
ないでよ
失礼ね!
あいた
!
下手《したて》に
でてりゃ!
ようし
ぶっとばし
たるで!
きゃあ
?

女学校
いててて なに しやがる てって！
麗子のおかげでわしたちまででるハメになっちまったじゃないか！
いてっ
ちくしょうぶっ殺したる！
あぎゃ
どりゃあーっ
おれたちとやる気かい？
ピタッ
うっ

おもしれえ！
相手になってやろうじゃねえか！
あっ
じつはシールさ！ああすりゃ相手はしっぽをまいてにげるだろ
まあ…
イレズミがこわくてやくざがつとまるか
ぶへっ
そうでもないようよ！
大変だ本気になったぞ！
おい中川！ケンカしていいのかよ!?

こうなったらやる以外ないでしょ
ちぇっ人に注意しといてずるいやつだ!
そうときまりゃ今年のケンカぞめだでやあ!
ぐわっ
食堂
いろは寿司
あけましておめでとう…っていいたいけどそういうムードじゃないようね!
まさかこんなとこで元旦をすごすとは思わなかったよ!
なんで麗子だけつかまらんのだおまえが一番の原因なんだぞ
賀正

★週刊少年ジャンプ1979年５・６合併号

おおティータイムの巻
亀有公園前派出所
007-5

あっ 部長 おはようございます
いや おはよう
だいぶ あたたかくなってきましたね もう春ですね
いやあ まったくだ
今度の日曜日 わしの家でお茶会をひらこうと思うのだが おまえたちの都合どうだ?
え! お茶会ですか…
あら いいわね ぜひともいきたいわ
ははは そうかそうか よし わかった
先週 娘と京都《きょうと》へ旅行した時に いい黒楽茶碗《くろらくちゃわん》をみつけてきてな ぜひ それを人に みせたくてたまらんのだ
なにしろ わしの月給より高い代物だからな ははは
麗子ちゃんは女性だからしっとるだろうが 中川は茶の心得はあるのか?
ええ 多少のことならしってます
そうか けっこうだな 若いうちはなんでも吸収したほうがいい
どうも おはようございます

どうも おそく なりました! めざまし時計の 体調が 悪くて 2時間も おくれて ベルが なり ましてね!
若いころ 排出ばかり してた男が きたぞ
今 ちょうど 茶会の話してた ところなの… 両ちゃんも くるんでしょ
ちゃかい? なんだ そりゃ まだ たべた ことないぞ
お茶を たてて みんなで のむのよ
なんだ お茶のむのか… メシかなんか つくのか?
いいえ! お茶を のむだけよ 今度の日曜日 部長の家で…
両津は 日曜日は きっと用事が あるだろ? なあ…
せっかくの大切な 休日を わざわざ きてもらっては 気の毒だ! なあ いそがしくて 大変だろ
いえ 別に テレビの 競馬を みるくらい で……
いやいや そんな 無理するな! それに 両津は お茶 きらい だったな? 牛乳を のんでた ほうが いいよな!
残念だが しかたない また 今度 さそうからな また 今度な!
部長の 娘さんも 和服で お茶 たてるん でしょう たのしみだわ
え! ひろみさんが 和服姿に!

部長！私も おじゃましますよ！ぜひとも いきますっ
そ そうか あまり無理するな…わしの家まで遠いぞ……帰りも おそくなるぞ………
そしたら部長の家にとめてもらいますよ！ご心配なくいちおう歯ブラシとタオルもっていきますから
いやあ たのしみだなあ わしも お茶はよく のむぞ 中でも玄米茶が すきでな 次が 砂糖たっぷりいれた紅茶
寮の食堂で だす玄米茶！ありゃ最高の味だ！
両ちゃん お茶の作法少しくらいはしってるんでしょう？
茶をのむのに作法なんて いるか湯のみに ついで一気に のみゃいいんだ
本当になにもかも考え方が動物的ね！
ほっとけ！あんなもんいちいち人にさしずされてのめるか！
お茶会に招かれたらちゃんと お客の心得があるでしょうおじぎ ひとつにしてもちゃんと…
バカッ わざわざおじぎなんかするもんか！お茶 もらったぐらいで 男が頭さげられるか金なら別だが
………
だいたいおまえは口うるさいぞっ
なにようっ
今からこれじゃ先が 思いやられるよ！

サニクリーン
部長の家に いくのは 久しぶりだなあ
中川 道ちゃんと おぼえてるか
ブロロロッ
はい!
なにしろ えらい 田舎だからな! とても 人間の 住めるとこじゃ ないとこに 家が たってる……
しかし 家についても 笑っては いかんぞ! かれも精いっぱい がんばっている のだからな
ヴォオオオム

キキ
ッ
これが かれの半生にわたる努力と汗の結晶で できたマイホームだ！マイホーム主義者独特のムードが家にでてるだろ
むちゃくちゃいうなあ！
あの小さなベランダに注目しなさい あれがマイホーム主義のシンボルだ かならずあれをつける
そして 部屋をけずってでも庭をつくり庭園灯をおく これもマイホーム主義者に多くみられる特徴である
ピンポーン
あっパパみえたようね…
うむそうだな
この玄関も見栄をはってりっぱなドアにしたのもマイホーム主義者の…
いいかげんにしてください先輩！まったく…

どうも おはよう ございます
いやあ よくきて くれたな みんな！
おや 両津がきて ないのか？ そりゃあ よかっ…いや 残念だなあ
いますよ── うしろの ほうに しっかりと
それじゃ ひろみ 奥の部屋に みんなを 案内してくれ わしは 用意してくる
わかった わ！
どうぞ こちらへ…
こりゃ どうも！ ひろみさんの 和服姿を ひと目みようと きたんですよ お茶なんて どうでも…
両ちゃん さっき車の中で 教えたとおり やるのよ わかった…？
わかってるよ！ 3回クルクル まわして のむんだろ 3回！
バカね！ タテに まわしたら こぼれる でしょ！
さっき おまえが そういった だろ！
ヨコに まわすのよ 常識じゃない

どうぞ この部屋で おまちください……
なんて せまい部屋だ かわいそうに 家具も なんにも ないじゃないか……
ここが 茶室よ! お茶をのむ 部屋なのよ
スーッ
どうぞ
こりゃあ どうも 気ィ遣ってもらっちゃって!

わしの
好物
わらび餅！
へっへっへっ
2コ
いただき
サッ
いてっ
ピシッ
すぐ
手をつけちゃ
だめだって
教えたでしょ
ぶつこと
ないじゃ
ないか！
てめーっ
この！
きゃ
ああ！
おほん
おほん
せ 先輩
部長が
きましたよ
ほら！
バカッ

さっきからでたりはいったりいそがしいなお茶つくるならさっさとつくりゃいいのに
もう始まってるのよ！おとなしくしてなさい
どうぞお菓子を………
そうすかやっとゆるしがでたはははは
おい！
ポクッ
あいたっ！
おまえは動物か!? 茶道の心というものが全然 わかっとらんぞ！
本当にこれほど不作法な人もめずらしいわね！
さっきわたした懐紙《かいし》の上にのせていただくのよわかった
ちぇっ たったひとつしかくれないのか
めんどうくせえ！こんなもんひと口だ！
ポイ
もう！

どうぞ！
いただきます………
お先に失礼します
ははは こいつ気どりやがって バーカめ
しずかにせんか！
ポケッ
いたっ
中川！あの肥《こえ》びしゃくみたいなのは人の頭をたたく道具なのか？
本来はちがいますけどね…
キュッ
けっこうなお点前《てまえ》でしたわ
いや ははは
く〜〜〜〜
みえすいたおせじをいいやがって！

それでは
両津にも
たてて
あげよう
あっ
みたぞ!
そんなとこで
ごまかして
あらった
ふりして!
人が
のんだやつ
だから
きれいに
あらって
きてくだ
さいよっ
ひどいこと
いわないでよ
わたしは
清潔よ!
少なくとも
両ちゃん
よりも!
いちいち
わしと
比較
するな!
ズズッ
両津
できたぞ
のめ!
麗子の時と
えらいちがいだ
まったく!
ほんの
これっぽっち
だすのに
えらそうに
まったく!
男が いれた
お茶なんて
みるからに
まずそうだ
それに
あわだらけだ
粉せっけんでも
はいってるんじゃ
ないのか?
ゴタゴタ
いってないで
早く
のまんか!
くわっ
今 のもうかな
と思ってたとこ
なんですよ
ハイ!
の のみ
ますよ!

ゴクリ
うっ なんて にがいんだ……
部長 少し 砂糖 いれていいですか? なければ ミルクでも…
ばかもの お茶というものは そのままのむものだ 全部 のめよ
にがい 変な茶をのまされるし 足はしびれるし まるで拷問《ごうもん》だ……
ゲー
ひととおり おわったとこで いよいよ わたしの自慢の 黒楽茶碗《くろらくちゃわん》を みていただく かな……
この茶碗を 買うにあたっては 京都《きょうと》へ二度も 足をはこんだものだ 一生使う物と考え 思いきって 買ってしまったよ
まあ ステキ!
拝見して よろしい ですか…
どうぞ みて ください

黒の光沢がうつくしいわ
ほう そうか! どれどれ!
ヒョイ
あっ
なんだ! なんの変哲もない黒の茶碗か
こ こら両津! よせっ あぶない
あっ
ズルッ
ああっ
おっ 中川! ナイスキャッチ
サッ
こ このうすぎたないまっ黒の茶碗がよ…40万もこ…こんな物が……
金額をしってから初めて物の価値がわかる人なのね!
ばかものっ 気をつけんか そ その茶碗は40万円もした品だぞ
げっ 40万!
ふうーっ まったく おどかすな まだ二度しか使ってないんだぞ まったく!

部長 自分は お茶よりも お茶づけでも たべたほうが ハラもへって きたし……
主人公《ひいろお》
そうしろ わしとしても そのほうが 安心する ………
ピシャッ
ふう びっくりした まさか そんな 高いとは しらなかったよ
お茶の道具は 簡素にみえて みんな値うちの ある品ばかり なのよ! もう
それじゃ 値札でも はっておけ わしには みんな 安物に みえる!
それでは わしが きみたちに 茶をたてて やろうか… エヘン!
すぐ 調子に のるんだ からなあ
いいかね 茶道の心と いうものは 部長のように やましい心が あっては いかん
ただ ひたすら クルクルと かきまわす 洗濯機の ごとく……
粗茶 ですので お口に あうか どうか…
どうぞ
先輩! 部長に みつかったら 大目玉 ですよ!
ははは うまいだろ わしなど すぐ プロに なれる!

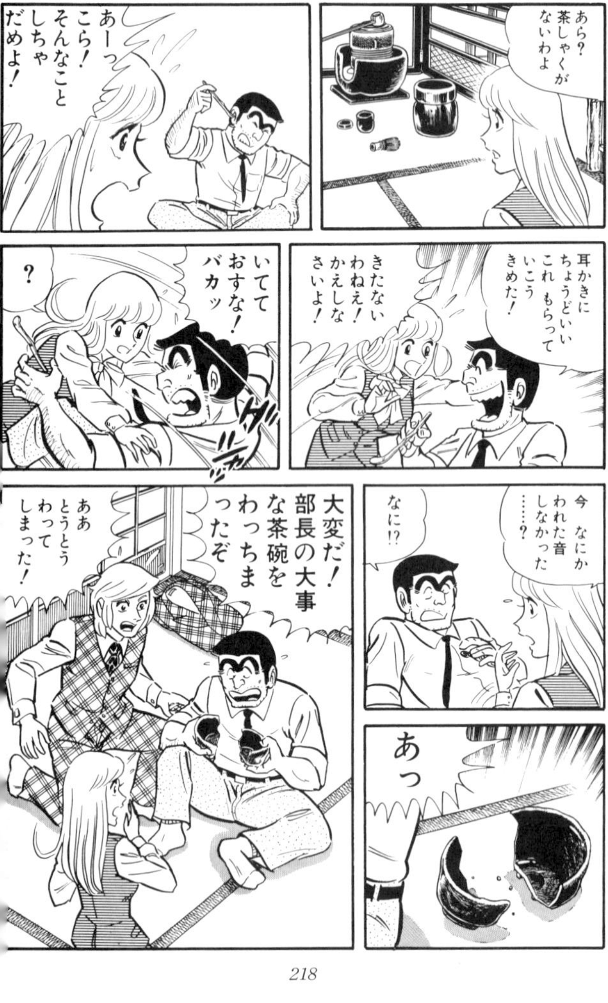
あら？茶しゃくがないわよ
あーっこら！そんなことしちゃだめよ！
耳かきにちょうどいいこれもらっていこうきめた！
きたないわねえ！かえしなさいよ！
いてておすな！バカッ
？
ガッ
ガシャ
ン
今なにかわれた音しなかった……？
なに!?
あっ
大変だ！部長の大事な茶碗をわっちまったぞ
ああとうとうわってしまった！

どどう しましょう
どう します 先輩!
どうするって…われちまった物は しかたねえだろ!
いやあ またせて すまんな
カチャ
両津のすきな サケ茶づけを つくってもらったからな……
ん…?
おい! 両津 いつまで 黒楽茶碗《くろらくぢゃわん》を もってるんだ! また おとしたら 大変だぞ!
いやあ まったく うつくしい ほれぼれして 手ばなしたく ない気分ですよ
ほほう 両津も 少しずつ 茶の心得が わかってきた ようだな
だが それを もってては お茶づけが たべられん だろう さあ こっちへ かえしなさい
あの…この中に ごはんを うつしてもらえ ませんか? 一度でいいから 40万の茶碗で たべてみたくて
ははは かわいいことを いうやつだ よし よし!
先輩! いつかは ばれますよ 先に こちらから あやまった ほうが…
うるさい だませる 限界まで だます!

むっ 両津…ハシはちゃんとあるぞ
ちょっと両手をはなせない事情がありましてね！
ムリッ
ムリッ
ムリッ
ああおいしかった！
ははは！
もういいだろ しまうから かえしなさい！
あ あの もう一杯 たべたいな もう一杯
いい かげんに しろ！ もどせっ
パッ
あっ
まったく もう……
ん!? おや……
ごめんなさい部長さん わたしがいけなかったの！
そうだっ 麗子がおしたからわれたんだ！

形ある物はいつかくずれる自然の宿命だしかたない
しかし両津をかばう麗子さんの気持ちを無にしとる…
えっ 両津!
おまえの罪をひとりでかばっているというのに そうだ そうだとはなにごとだ
だって本当だよ あの女がおしたからグシャッと…
おまえは人の思いやりというものがわからんのか!
本当なんだよ
完全に犯人は先輩ときめてうたがわないようだ………
翌日
あれ? 両さんは今日 休みですか?
やつなら京都の寺に小僧として修行にいかせた 1~2年は帰ってこない
なんだか気が ひけるわ 京都のほうに足をむけてねられないわね!

★週刊少年ジャンプ1979年15号

の巻
TO
EAST
Pilot
virginia
66
WEST
50
圭ちゃんの愛車
カウンタック　ＬＰ《エルピー》400
カーマニアのかれが　数多い
愛車の中で最も気にいってる
車である　Ｔ《ティー》．Ｐ《ピー》．Ｏ《オー》にあわせ
ＬＰ《エルピー》400の色ちがい3台を使い
わけている
最高速度…300km/h《キロメートルアワー》 色…黄

かめあり
エンジェルス!?
BOURBON.ST
Arden
ICE cream
Arden
ICE cream
ROD
I'm a sexy

粋《いき》な黒塀《くろべい》
みこしの松に
婀娜《あだ》な姿の
洗い髪ィ
♪
死んだ
はずだよ
お・と・み
さん〜〜〜
生きて
いたとは〜
お釈迦《しゃか》さまでも
しらぬ仏の
お・と・み・さん
エッサ
オ〜オ
と
きたもん
だ！
BAR
ボボ・ブラジル
チリン
チリ〜ン
のってきた！
のってきたぞ！
おりゃあ〜〜〜
おっ 女学生も
自転車で
登校じゃ
ないか！
よし
ツーリング
しちゃおっ
と！
はあ〜い
おじょうさん
毎日 勉学
大変だ
ねえ！
ねえ
きこえる？
春日《かすが》 八郎《はちろう》
もっと
ボリューム
あげようか？
若い子には
もっとフィーバー
する曲のほうが
いいかな？
スリー・ファン
キーズきく？
ALL-P
いえ…
そんなに
気を
遣わなくても
いいわ……

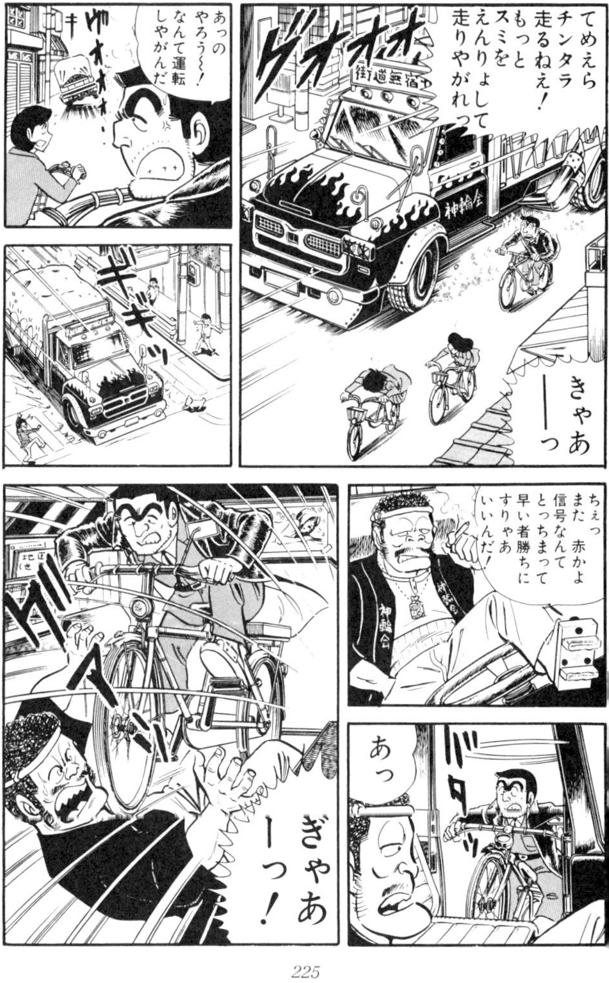
ヴォオオオ
てめえら
チンタラ
走るねえ!
もっと
スミを
えんりょして
走りやがれっ
街道無宿
神輪会
あっの
やろう〜!
なんて運転
しやがんだ
ヴォオオオ…
キ
きゃあ
ーーっ
ギギギッ
ちぇっ
また 赤かよ
信号なんて
とっちまって
早い者勝ちに
すりゃあ
いいんだ!
ギャ
ぎゃあ
ーっ!
あっ
ドタッ

チンタラ走ってて悪かったな!
いてててて っ
えんりょして走らんで悪かったなええおいっ!
うわああっ か…かんべんしてくれっ!
グリ
グリ
ちゃ…ちゃんと免許もってんだぞ!手荒くあつかうな!ポリ公め!
ほう
へへへ!今さら一二点へらされたって目じゃねえ!すきにしやがれってんだ
すきにしていいのか?
それならおことばに甘えて…
ああっ
ぽっ
くそ〜っ朝っぱらからおもしろくもねえ!
以後安全運転を心がけなさい!
平気でもやしやがった!ちくしょう

なんだ！まだ 麗子しか きてないのか？
部長さんカゼで休むって
ちっ 鬼のカク乱だな
中川はどうした？
ハワイへ休暇とっていってるわ
じゃあ今日はわしと麗子のふたりだけか……
あとワンちゃんがいるわよ
ちぇっせっかく早おきして出勤したっていうのに！
こんなことならメシでもゆっくりたべてくりゃよかった
だれもきてないとわかりゃこんなに早くくるんじゃなかったよ
ハラがへってきたよまったく！
この顔に ピンときたら 110番

おい 麗子 メシつくってくれ
朝 まだ くっとらん
キャッ キャッ
ワンワン
まったく テレビなんぞに 夢中に なりやがって
メシ だってんだろ~~~! メシ!
ぬっ
きゃあああっ
いきなり ものすごい顔 ださないでよ びっくりするじゃないの
いつ ものすごい顔を したっ ふだんの顔だ
さっきから いってんだろ メシだ!
わかったわよ もう!
おまえも いっしょになって テレビなんぞ みてんじゃねえよ バカ!
キャン
なまいきに ザブトンなんか しきやがって! 外へ いってろ!
もっと 犬らしく 公園にでも いって 自然と たわむれて こい!

おまえは犬なんだぞ わかってんのか！ よーく自覚しろよ こら！
はーい できたわよ
さあ いっぱい たべるのよォ
お…おい 麗子！
犬のなんかより わしの 先に つくってくれ ハラ へってるんだよ
え!?
さっきから メシ メシって 犬の食事のこと 心配してたんじゃないの？
ばかっ わしのだ だれが そんな犬に！
わかったわよ！ はっきり いってよ はっきり
サ
サ
失礼ね！ 犬と同じじゃないわよ！ このワンちゃんには わたしたちと 同じ食事を いつも つくって あげているのよ
それを わたしたちが たべても変じゃないわよ！ このワンちゃんが 人と同じ物を たべるんだから
はい！ 両ちゃんの分！
ドン
犬と同じの くわす気か!?

なんか
理論的に
まるめこまれた
ような気が
するな……
なんのかんの
いっても
けっきょくは
犬と同じもの
じゃないか！
ちょっと
どいてくれない
そこ わたしの
席よ テレビ
みるんだから
なにっ
テレビ
だと！
こんな
くだらんもの
ばかし
みてるから
おまえは
いつまでも
ダメなんだ
とめて
しまえ！
あっ
今日の
お料理は
ブイヤベース
なのよ！
ほっといてよ
こ こいつ
毎日 料理
ならいに
きてるのか
よ！
ちょっと
こい！
きゃっ
体で
その甘さを
なおして
やるぞ！
じゃあああっ

あんのう〜〜〜 ちょっくら 道さ きききたいん だんびら……
ザザザッ
ガッ
ザッ
いきなり はいって くるな バカッ!
あの… 道さ…
道きくなら 交番に いけ!
だ だから ここへ……
うるさい! おまえなんか きえて なくなれ!
10 かぞえる 間に きえろ
1 2 3
ザッ
4
5
6
ひやあーっ
ひどい! もう お料理 おわっちゃった じゃないの!
どうするのよ! お料理の レパートリーが ひとつ へっちゃった わよ!
うる せえな! いち いち!

料理なんて
3種類つくれりゃ
朝 昼 晩と
もつだろう！
それを一週間
くりかえし
くりかえし
つくりゃあ
すむことじゃ
ないか！
両ちゃんの
食生活と
いっしょに
しないでよ
な なに
毎日 同じの
くって
どこが悪い
大きな
おせわだっ
そんなこと
してるから
味オンチに
なるのよ！
味オンチで
悪かったな！
メシなんてのは
ハラいっぱいに
なりゃいいんだ！
それを
フランス風だの
イタリア風だの
やかましい！
ハラに はいりゃ
なんだって同じだ
そんな考え方
人間じゃないわ
食事を たのしむ
ことが
できないなんて
人間じゃないわよっ
いいえ！
生きものじゃ
ないわ！
両ちゃんなんか
人間のかっこう
した機械よ！
中古の機械よ
グリースでも
のんでれば
いいのよ！
てめえ〜〜
いわせて
おきゃあ
人を中古の
機械に
しやがって
！
きゃあ
くそ！
用心棒を
つけやがったな
うっかり 手を
だせなくなった！
ガリ
いて
ててっ
!!

テレビも あきちゃったし もう…… たいくつ ねえ！
ねえ 今から スケートに いかない？
ちぇっ 近ごろの 若い者は あそぶことばかり 考えてやがって！
目黒記念情報！
スケート よりも おまえ 水泳 できるように なったのか？ なんメートル およげる？
うん…と 10……… 10m《メートル》…よ
そんなもん およげるうちに はいっか！
車は のる バイクは のる 銃も やるほどの オテンバのおまえが なぜ 水泳だけ できんのだ？
この前 みたいに 子どもといっしょに おぼれていて いいと思うのか？ それでも 警察官か？ えっ！
だ だから 練習してる わよ！
いいコーチに つかないと ダメだ よし 千葉《ちば》のとび魚と よばれた このわしが みずから特訓 してやる！
えっ!? 今から！
思いたったが吉日だ いい機会だ！ 中川だって わしの 特訓のおかげで 人なみに およげる ようになった…
きるものなんて いく途中で かえばよい！ 早くしろっ
えらいことに なっちゃった わ！

でも このワンちゃん ひとりで 留守番だと 心配だわ
ようし ちょっと まってろ!
こいつも いれば 心強い だろ!?
フギャー
でも 犬とネコ じゃあ…
よし! もっと いっぱい つれて くる
どうだ これだけ いれば 心配ない!
なんか 動物派出所 に なった わね!
ギャー
ブー
ニャー
コッコッ
ニャー
いいか 拳銃を あずける しっかり 留守番 してろよ
フギャー
コケコッコ
ずい分 やかましい わよ!
いいから あとは やつらに まかせろ!
ギャー
コッコッ

ワーワー
いっちにさんし！
バシャ
バシャ
いっちにっさんしっ
おそいなあ麗子のやつ！なにやってんだ！
LADAY
女子
すげえ目の保養に最高！
もう少し近よってみよう
両ちゃんおまちどうさま！
ちぇっおそいぞ麗……

あまり手荒くしないでよ
どうしたの両ちゃんよだれがでてるわよ
あ はあ ちょっとね な…なんでもない!
サッ
じゃあまず浅いほうからいこう
ジロ
ジロ
ジロ
麗子! もう少しはなれてあるけよっ わしにも視線があつまる
グイ
いいじゃないの!

まず 水泳の基本はバタ足からだ それをマスターしろ
はい! その調子 肩の力ぬいて 楽に………
それにしても これだけ大ぜいに注目されると こっちのほうが緊張してしまう
麗子 ちょっとタンマ!
え? どう したのよ……
緊張したら 小便したく なってきた
バカ!
ザザッ
まったく たよりに ならない 鬼コーチね
おねえさん あんなダサイ男と つきあって ないで オレたちと およごうぜ!
そうだよ オレたちが コーチして やるぜ 親切に!

失礼ね! わたし これでも 警察官よ!
うわっ
バシャッ
そんな みえすいた 手にのるかよ さあ こいよ!
やめてよっ きゃあ!
バシャッ
おい こら にいちゃん やめねえ かい おい!
ねえちゃん おれたちと つきあえ よ!
いやよ いや!
ひやあ やくざだ!
バシャッ
あっ 麗子のやつ やくざに からまれて る!
まったく うっかり 水着姿に できない なあ……
ヨロイでも きさせて 練習させ ないと……
わたし 警官よ あなたたち 逮捕する わよ!
その ジョークは さっき き、こぜ

★週刊少年ジャンプ1979年12号

Swift Cycle

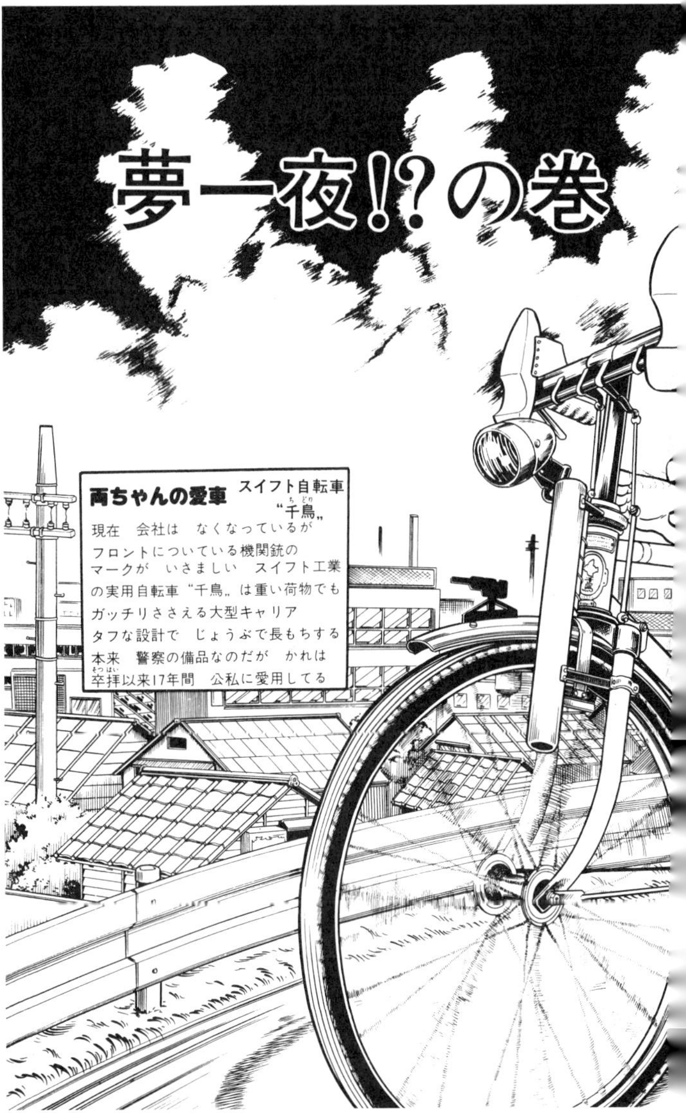
夢一夜!?の巻
両ちゃんの愛車
スイフト自転車“千鳥《ちどり》„
現在　会社は　なくなっているが
フロントについている機関銃の
マークが　いさましい　スイフト工業
の実用自転車“千鳥„は重い荷物でも
ガッチリささえる大型キャリア
タフな設計で　じょうぶで長もちする
本来　警察の備品なのだが　かれは
卒拝《そつはい》以来17年間　公私に愛用してる

たしか 今日がジャンボ宝くじの発表の日だったな! 中川
あっ そういえばそうでしたね……
火の用心
先月 派出所のみんなでまとめ買いをしたんだっけ… たしか 先輩までつきあいだといって1枚だけ 買ったんだ
わしなど20枚も買ったぞ 一等は二千万円だからな
せめて千円でもあたればいいですね
これもだめか! うーむ これもおしい なんだ これもだめだ…
どうでした? ひとりぐらいはあたりましたか?
わしのも中川のも麗子のも両津や寺井戸塚のもことごとくはずれた 全滅だな!
残念ですね やはりなかなかあたるものじゃないですね
夢を買うとよくいうが… そのとおりだね その夢も わずか数秒の楽しみでおわってしまった
でも 両津のはいい線までいったなあ 一等が はの組796996なんだ…
両津《りょうつ》のは はの組796996だからな…

部長！その番号同じじゃないですかっ
なに いっとる わしも さっき まちがえたよ あいつのが あたるはず ないだろう！ よく にとるがな ははは……
よーく みろ！ あいつの番号は はの組で 796996 なんだぞ！
そして この あたり番号が はの組…… これは同じ だが…
次が 796の………☆
996…で……☆ まったく…
ポロ
お・な・じ…だ……!!
あ…あ あたっとる 同じだ…
二千万円 あたってますよ その券！
あっ どうも おそく なりまして！ ちょっと ねぼうして しまって……
部長…… まことに いいにくいん ですが 三千二百円 おかりでき ないですか ね…？
プロパン ガスの 代金が まだ……
プロパン かえないと お湯も わかせないし 生活に… その……
先輩！ あたったん ですよっ

うるせえなっ 耳元でどなるなっ
この前 買った先輩の宝くじ 二千万円あたったんですよ!
そうかあ〜〜 そりゃあめでてえなっ あ〜〜〜 めでてえや
すごいでしょ! めでたい!
いいかげんにしろ 今は 夢の二千万より 現実の三千二百円が大事なんだ
両津… 中川のいうことは本当だ おまえ 一等二千万円なんだ
自分でたしかめてみろ! ここだ 番号がピタリ同じだろ!
部長 世間では宝クジの一獲千金で身をほろぼす例も あることですし…
う うむ まして 両津の性格だと あぶないな…
両津! 気をたしかにもてよ いいか 現金はすべて 貯金しろ わかったな
そのほうがいいですよ 少しずつだすようにしたほうが 先輩のためにも…

は・は・は…や…やだなあ あなた方は！ 変な心配 無用ですよ
た たかが 二千万円 ぽっちの ことで……
バサ
今どき あんた 二千万円なんて マイホームの 頭金ですよ… 青山《あおやま》のマンション ひとつ 買えや しない ははは
その程度の 金で この 私が かわるとでも お思いですか た…たかが 二千万で！
先輩！ タバコが さかさ ですよ！
あっ
両津 今すぐ 銀行へ いって 現金に とりかえてきた ほうが いいぞ なくしたら 大変だからな
べ…べつに いつでも いいけど じゃあ 散歩がてら ちょっくら いって きますか……
両津 ひとりで だいじょうぶか ついていって やろうか？
な…なんでも ありませんよ ちょっと つまずいた だけ！
ちゃんと お金 うけとって これるのかな ………？
ヨタ ヨタ
口と行動とは まったく正反対 だからな……

えーーっ 両ちゃんが二千万円あたった!?
まったく 世の中いつ どこでどうなるかわからん……あいつの性格を考えると血圧が あがってしまう
それにしてもおそいですねまさかうれしさのあまり自殺なんてことに………
おい 大型のキャデラックが 前にとまったぞ
キ
どうぞご主人さま!
うむごくろう
タッ
いやあ公務員のみなさん元気でやってますかな!
貧乏ヒマなし……大変だねえは・は・は・は
ギラ
ギラ
ギラ
ギラ
紹介しよう この人 今日からわたしの執事になった佐藤《さとう》くん
佐藤です 今後ともよろしくおねがいします
そういえば昔 中川くんに金をかりたことあったねえ…
酒代をたてかえた五千円のことですか…?

あの時は世話になった これ少ないがとっておいてくれ！
えっ こんなに!?
二十万もありますよ 多すぎますよ！
残りは利子だよ 貧しかったころには面倒かけたからねえ
麗子ちゃんにもほんの気持ち！ これで 和服でもつくってくれ 五十万あればたりるだろ
ポン
えーっ!!
そうか ミンクもほしがってたっけね 三太夫《さんだゆう》 もう百万ほどかの女に！
はい ご主人さま！
バサ
両津 そんなポンポンと使うな！ さっきのガス代三千二百円かしてやる 全部 預金するんだ！
三千二百円…そういうこともありましたかな……？
古い過去のキズにふれないでください 今の私は 未来をみつめて生きたい……
そんなに金がつづくかっ 目をさますんだ！
いいか 両津！ おまえは もう若くないんだからな その金で佐倉《さくら》あたりに 土地でも買って家をたてろ 小さくてもいい 将来のため 妻子をすまわす家をだ！ 家持ちとなれば見合いの時の条件もよくなる！
なーに 女なんて この札びらでホッペタをたたけば2～3人ぐらい すぐ…
ばかなこというな！

そうでなければ定期預金にするとかだな…
マル優を利用すれば三百万まで無税だ！
一千万円を一年定期にすれば利息がえーと年で……
くく…ありがたい低所得者の身でありながら高額所得者の私に そんな親切を……
社会の底辺でひたむきに生きようとするその姿に 私は心をうたれた…どうか この金で栄養をつけてください うっうっうっう
それがいかんというのだっ
おまえというやつは金を そんなに粗末にあつかって
部長！
部長のほうがお金にこだわってますよ！
そうよ両ちゃんは別に 変化ないわよ あれがふだんの姿よ！
ああ どうせわしなんて一生 働いても二千万なんて大金手に できやしないよ！
どうせ 夢の金なんだからみんな 使っちまったっていいだろう！ガキのころから一生に 一度やってみたかったんだからな！
しょせん元金は百円なんだぞっ！
しかし……わしはこいつのためを思って…
よけいなことだ！

先輩の
自由にさせて
あげましょう
部長
あたらなかったと
思えば どうって
ことないじゃ
ないですか?
わしらの
世代は
おまえたちの
考え方には
ついていけ
そうもない…
三太夫
わしは つかれた
ベッドを用意
してくれたまえ
はい
ご主人さま
ただちに
ご気分は
どうですか
ご主人さま
!?
うむ
苦しゅう
ない!
読書が
したく
なったぞ
週刊
エロトピアと
バチェラー
買ってきてくれ
新聞
でーす
バ
サッ
これ!
そこをいく
勤労少年
まちなさい
え?

きみは
若いのに
働いて
感心だね
お父ちゃんが
のんべえで
働かないから
ぼくが　力一杯
がんばって
母ちゃんを
たすけるんだ!
うっう…まるで
大島渚《おおしまなぎさ》の「愛と希望の
街」の主人公のような
セリフをいう子だ!
三太夫
この少年に
百万　あげなさい
はい
ご主人さま
うわあ!
これで
末吉《すえきち》にいちゃんも
大学へ　いけるし
オリエねえちゃんも
工場へ　いかなくて
いいんだ!
くくく　今度は
森川時久《もりかわときひさ》の
「若者たち」が
よみがえって
くるような
セリフを…
なんて
いじらしい
少年なんだ
三太夫
もう　百万!
はい
ご主人さま
麗子ちゃん
奥のふとん
しいて!
部長の血圧が
だんだん
あがって
きた!
はい!
まったく
湯水のごとく
使うから
こっちまで
おかしく
なるぜ……
ほう…競馬を
やってるのか……
庶民のささやかな
レジャーだのう
私も　まだ庶民と
よばれてたころ
少しだけ　やった
ことがある
たしか
どの馬が
速く走るかを
あてる
たわいもない
あそびだったな〜
そうだ　そうだ
なんとでも
すきにいえ!

私も たわむれに あそんで みよう 一番 人気のない あわれな 馬に……
百万円 かけて オッズを かえよう
これじゃ 配当金より 多いじゃ ないか! いい度胸 してるぜ
庶民の レジャーを 十分 エンジョイ してきたまえ
これ 三太夫 ベッドを早く かたづけなさい このような せまい住居には めいわくかも しれん 思いやりが 必要だ
はい ご主人 さま!
しかし 二千万って金は わりと 使いでがある まだ まだ のこってるぞ
ガサ ガサ
ぜいたくな 悩みを いうわね
そういえば タバコが きれていた 三太夫 ハイライトを 買ってきて くれ
はい!
タバコ代も 4月から 値あげになる 三百万円ほど まとめて 買って きなさい!
金の使い方が 成り上がりを 地でいってる 気がするな!
どうだね ひとつ きみの夢も かなえてあげよう 望みをいいなさい 天丼を 目いっぱい たべてみたいとか… 銭湯に 毎日 はいってみたいとか ぜいたくな願いごとが あるだろう?
いやあ ぼくは ふだんの生活に 満足してます から……

きみは欲のない人間だねえ まあ 人には身分相応というものがあるからね たとえ貧しくとも幸福で 満足しておれば 私は それ以上なにも いうことはない
つらさにまけずにがんばりなさい！
麗子ちゃん きみには 特別にこのおじさんがマンションを買ってあげるからね……
パトロンみたいなこといわないでよけっこうよ！
しかし金を使うのが少しょうつかれてきた
こんなに手間がかかるとは思ってもみなかったよ
めんどくせえ のこりの金を全部 この箱にいれて…と
ゴソッ
こうしておいときゃ社会のために役にたつかもしれん！
自分がめぐまれないと思う方、えんりょなくどうぞ！
ご自由におとり下さい!!
下町の住民は欲がないだれも とらん
逆に ああ大だい的にやると気味悪がって手をつけませんよ
キッ
おや？ガードマンの車が？

どうしたんだ戸塚? 競馬場へいったんじゃないのか?
え…えらいことになったぞ おまえのいうとおり人気のない2頭にかけたんだ
第4コーナーで次つぎに落馬してその2頭がはいりやがったんだよ!
150倍もついて一億五千万円になったぞ
な なにっ
一億五千万円だと!?
なんだとっ一億五千万にふえた!?
さっきの競馬であたったらしくて…
なんてことだ! よりによって!
ぶ…部長〜 こ…こんなにふえちゃった……
は・は・は どう どうしよう!?
こんな時に競馬などするからだ!

これだけあればマンションを買うどころかたてられるぞ!
ははは ぶ 部長そこにすむ?
両津! 事業をしろっ これを資金になにか事業をおこすんだっ チャンスだぞ
社長か 悪くないなあ……
じゃあパチンコ屋かキャバレーでもぶったてて はでに……
金融業がいい! 金貸しはおまえにピタリだ そうしろ!
よ よし そうする!
ふたりとも すごいわねえ 目の色が完全にかわってる
人間の性《さが》が もろにでてるよ みるにたえないよ
じゃ 部長! 経営コンサルタントになって! 私が 社長で部長が専務
よし! 力になるぞ わしもこの年で もう ひと花さかせてやるぞ
そしたら まず このきたない派出所を新しくたてて 警視庁一番のりっぱなビルに!
地上10階 地下3階にして そこを上をアパートにして そのあがりをみんなで貸しましょう わける!
グッド アイデアだ! おまえは 経営者の才覚が ある! すばらしい!

よーし 話が きまった ところで この現金が 目の前に あるうちに…
どう したん だ…？
もし 大金持ちに なったら 一度 やってみたいと 思ってたん ですよ
バサ
バサ
ぎゃははは このハダに ふれる 感覚！
気色 いい！ 最高！ がっははは
ゴロ
ゴロ
ゴロッ
わははは たまらん たまらん なんとも いえん！
がははは そうでしょう 人間に うまれて よかった！
極楽！
極楽！
ゴロ
ゴロリ
ゴロリ
ゴロ
ゴロ
あのふたり 変態を とおりこして まるで… 金の亡者ね…
部長も どうぞ！ えんりょ なく！
そ そうか じゃあ わしも… ひとつ
がははは おまえたちも どうだ 裸になって こいよ！
いえ えんりょ しときますよ…
気どるな バカモノ めがっ
人生 おもしろ おかしく すごした ほうが 勝ちだ！ ぎゃははは
ゴロ
ゴロ
ゴロ
ゴロ

そうだ! 部長 部長 ちょっと!
ゴロッ
ゴロ ゴロ
わはは 金だ! 金だ!
かがやかしい われわれの 前途《ぜんと》を祝って 銀座《ぎんざ》で 豪遊と いきま しょうや!
そりゃあ いい! いこう! いこう!
おい 三太夫 この金で ロールスロイス 2台と運転手 買ってこい すぐ出発する
はい ご主人さま!
中川たちも 用意しろ みんな そろって パーッと くりだそうぜ!
まったく 手が つけられ ないな…
今日は 休んでる 店が 多い ですな 課長!
どういう わけだ?
今夜 お休み
本日閉店
今夜は ここいら 一帯 全部 貸し切りだ みんな 豪華に やってくれ
金は くさるほど あるから な!
きゃあ! すごいわ 社長さん
サービス するわよ! 今夜は!

★週刊少年ジャンプ1979年13号

チャーリーの巻
ビーロン ビロンを のむ時は 今ぁ〜! あーあ ビーロン

がんばれ!
毎月第二金曜日は
受令機セレコールテスト
警視庁

ねむい だるい かったるい
……
ファイトで行こう!
BIRON
ビロンをのむ時は 今!
ねむ気・倦怠感除去 / 20ml×2アンプル
ビロン内服液
大正製薬株式会社
最近あいつの歌がずいぶんかかっているなあ
そうですね チャーリー小林《こばやし》といえば 今やしらない人がいないくらいですからね
ビローン
ビロ ビロ ビロ〜
おれたちがコンサートにいってやってたころはうれない名もないシンガーだったけどな……
あら両ちゃんたちチャーリーをしってるの?
コンサートの警備にいったり一日署長できたりとかいろいろつきあいがあってな!
先輩今度またはげましにいきましょうよ
今は よくない浮き沈みのはげしい芸能界だ沈みきってだれからも忘れられたころにふたりではげましにいこうすごくよろこぶぞ
眠れる獅子ついに怒る!
6戦6敗という屈辱的な記録街道まんぐらの"大漫族"がついに漫画家野球大会で本領を出す!! 強敵スカタンズを11対5と大きくはなし勝利! 7位に入賞
4月10日江戸川グランドにて 出場チーム 8チーム

まあ そんな先のことじゃない もうちょっと まとう
すごい シビアな 考え方だ…
いやーっ みなさん 元気で やって ますか？
あっ チャーリー小林《こばやし》！
らくに！ らくに！ 大スターの 前だからって そんなに かたく ならないで！
白のスーツ なんかきて やはり 歌が ヒットすると ちがうな！
いやあ 当然ですよ 今度の曲は 自信が ありました からね
私物
ジャーマネ この方たちに スポンサーからの 品を プレゼントして あげなさい

今 ヒット中のビロンです どうぞのんでください
なんだなんの薬だ…？
ねむけざましのアンプルですよ 特に 徹夜の多い漫画家なんかがのむらしいんです ビロンをのまなきゃ漫画界で仲間はずれにされるそうです
ほう なるほど
ビロンをなん本も のむほど作品も だんだんよくなってくるとききます 新人漫画家たちは毎日 ビロンをのんで体づくりにはげんでます
漫画家のためにつくられたような薬なんだな
そうですね 別名〝漫画界の申し子〟などとよばれてます
チャーリーたちもこういうものをのんでがんばってるのか
いや ぼくたち ロックシンガーは12時間 ねてますから 不要です
いい曲をつくりだすエネルギーはねることが一番です
どうぞ！
毎日ハードなお仕事で大変ですね がんばってください

ちょっと! あんな美人 いたなんて 初めに 教えて くれなきゃ!
ん…… 麗子の ことか …?
ジャーマネ ちょっと こい!
はい!
ぜひ かの女を われわれの メンバーに むかえたい
むちゃな! まだ あった ばかりだろ!
なんとかしろ だめなら グループ 解散 して あの人と デュオで やる!
おちつけ チャーリー ま… まってくれ!
うまくやれ ジャーマネの 腕の みせどころ だ!
まったく すぐ 感情的に なるんだからな
うちの チャーリーが あなたと お話したいと 申してます ぜひ 一度…
まあ 光栄ですわ
あの すいません が……
えっ なんです か?

チャーリー いっといたぞ 話してこい!
ははは そう! それじゃ ちょっとね!
あいつも 女にゃ弱いな 今に 身を ほろぼすぞ
すぐ 本気に なるだけに こわいよ
へへへ ジャーマネ ばっちり ばっちり
明日のデート 申しこんで きちゃった
なんだと!
明日から 全国縦断 コンサート ツアーが あるんだぞ そんな時間 ないぞ
だったら キャンセルすりゃ いいじゃないか 簡単だよ
それが ダメなら ツアー ぼくだけ 休むよ ほかのメンバーに そういっといてよ
リード ボーカル なしで どうやって やるんだ!
そうだ! ジャーマネなら ぼくの歌 全部 しってるだろ?
よくツアーで とまったホテルで ハナ歌 うたってるじゃ ないか! あれで十分! ぼくのかわりに 出演してくれ
ば ばか いうな! すぐ ばれて しまうぞ!

だいじょうぶ! 身長も同じくらいだしエコーかけてバックの演奏をものすごい大きな音でかぶせりゃわからないよ
今が一番大事な時だ本気になるなおい!
両さんかの女の趣味はなにかな?
そうだな…バイクがすきだな
チャーリー取材の時間におくれるぞさあ 帰ろう!
チャーリーさんそれじゃ明日ね!
なにせ売れっ子だからねそれじゃ明日 むかえにくるよ!
ジャーマネオートバイかってきてくれ一番大きいやつ
えっオートバイチャーリー免許ないだろ?
いいからかってきてくれよ男のメンツがかかってんだからな!
バカいうなのれもしないくせに!
チャーリー小林さんとデートなんて楽しみだわ
しかしあいつもよくやるよ!芸能人とは思えん!

翌日
ブロロロ…
よーし ゆっくり ゆっくり
きずつけないように！
キッ
チャーリーさん ここに とめておいて いいんですか？
そう その場所にね
いよ！ ハーレーとは しぶいじゃん！
グオオオ
なんだ… 今のは？

チャーリーさん おそいわね
麗子をからかったんじゃないのか……あいつ!
どうもおまたせしました
ヌッ
なんだそのスタイルは……?
なーにバイクできましてね
昔からバイクがすきでねツアーもメンバー全員 バイクでまわってますよ
まあいさましいわね……
愛車が近くに とめてあります みますか?
ぜひみたいわ

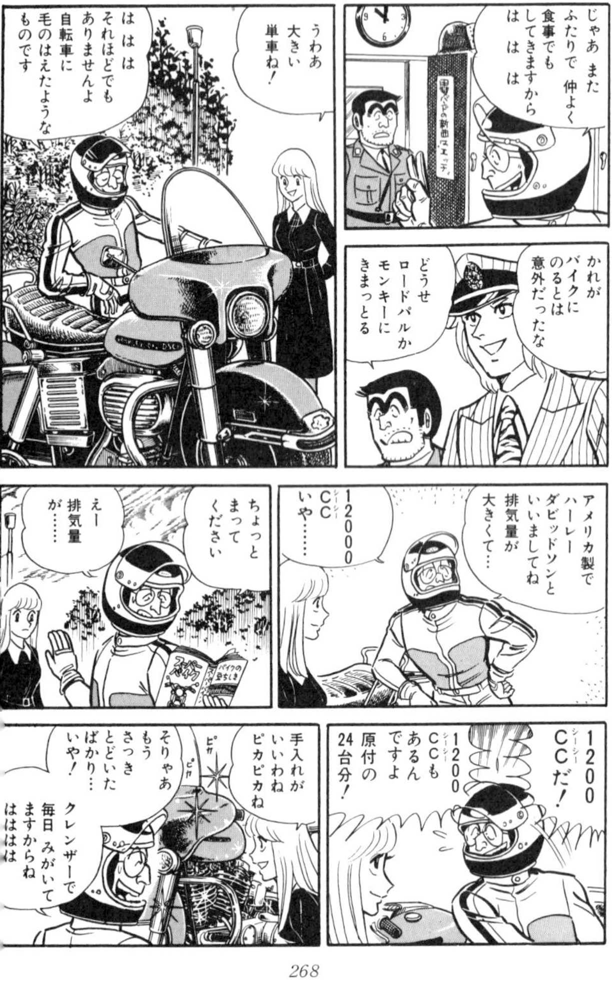

じゃあ また ふたりで 仲よく 食事でも してきますから は は は
かれが バイクに のるとは 意外だったな
どうせ ロードパルか モンキーに きまっとる
うわあ 大きい 単車ね!
は は は それほどでも ありませんよ 自転車に 毛のはえたような ものです
アメリカ製で ハーレー ダビッドソンと いいましてね 排気量が 大きくて…
12000CC《シーシー》 いや……
ちょっと まって ください
えー 排気量 が……
1200CC《シーシー》だ!
1200CC《シーシー》も あるんですよ 原付の 24台分!
手入れが いいわね ピカピカね
ピカ ピカ
そりゃあ もう さっき とどいた ばかり… いや!
クレンザーで 毎日 みがいて ますからね ははは は

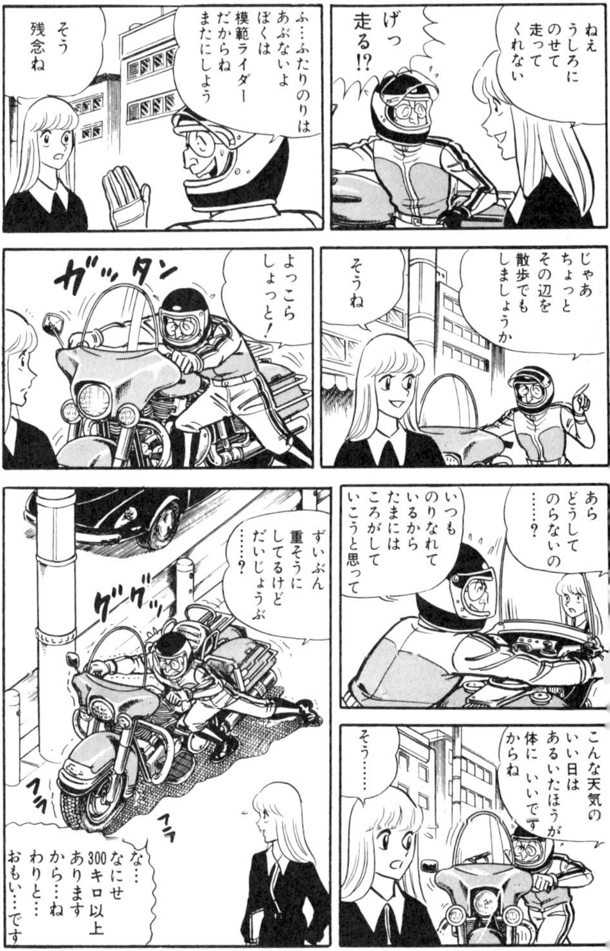
ねえ うしろに のせて 走って くれない
げっ 走る!?
ふ…ふたりのりは あぶないよ ぼくは 模範ライダー だからね またにしよう
そう 残念ね
じゃあ ちょっと その辺を 散歩でも しましょうか
そうね
ガッタン
よっこら しょっと!
あら どうして のらないの ……?
いつも のりなれて いるから たまには ころがして いこうと思って
ずいぶん 重そうに してるけど だいじょうぶ ……?
グッグッ
な…なにせ 300キロ以上 あります から…ね わりと… おもい…です
こんな天気の いい日は あるいたほうが 体に いいです からね
そう……

うわっ おっとと と!
グラッ
うぬ! なに くそ!
グググッ
まけて たまるかっ このやろう
だいじょうぶ…?
今… ちょっと 話かけ ないで ください!
BELL
てめえっ この バイク!
グイッ
たおし て… たまるかっ くそ!
少し ここで 休んで いきましょう か?
いや そんなに 気を 遣わないで ください
ガシャッ
す…すぐ おこしますよ 今すぐ!
ググ

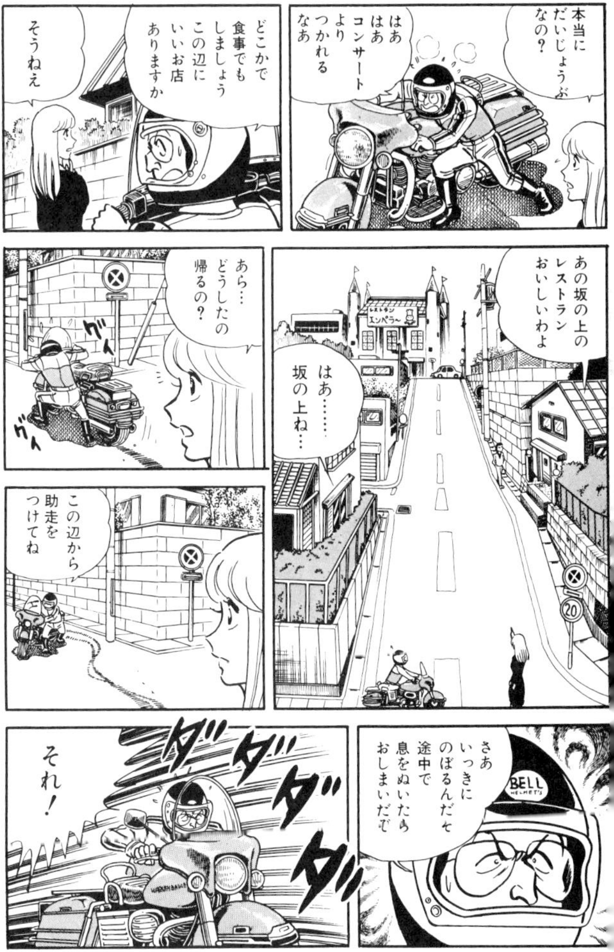
本当にだいじょうぶなの？
はあはあコンサートよりつかれるなあ
どこかで食事でもしましょうこの辺にいいお店ありますか
そうねえ
あの坂の上のレストランおいしいわよ
レストラン エンペラ〜
はあ……坂の上ね…
あら…どうしたの帰るの？
グイ
グイ
この辺から助走をつけてね
さあいっきにのぼるんだぞ途中で息をぬいたらおしまいだぞ
BELL HELMET'S
それ！
ダダ
ダダ
ダ

よいしょっ!
フラ
フラ
グイ
グイ
よし
いいぞっ
ズザザザザッ
グラッ
あっ
補助輪つけたほうがいいようね
は・は・はおみぐるしいところをみせてしまって
無理して上まで運ぶことないわよ道路のハジにとめておいたら
じつにいいアイデアですね!
それではセンタースタンドをたてて…
グイ
スタンドをよいしょっ
グ
グ
ちくしょう〜このっ
スタンドを……

たてかけて おきましょう そのほうが 帰る時 楽だ！
しばらく バイクに のってないと なじむまで 時間が かかりますね はっはははは
あの人 今 ヒット中の チャーリー じゃない？
あっ 本当 サイン ほしいわ
どこへ いっても すごい 人気ね さぞ 大変でしょ
なれました それが スターの 宿命と あきらめて いますよ…
大ヒットしてから マスコミに おわれる 毎日ですが 日本のロック界を せおってる わたしです そのくらいで まいりませんよ
でも 世間では あれ一曲の ヒットって うわさよ かわいそうに！

ひ…人が 一番 気に してることを 目の前で……
チャーリーさん 気にすること ないわよ
いっぱい 歌を うたいつづけて いけば だいじょうぶよ とにかく 多く うたうことよ
そ…そう ですよ! うたいつづける ことよ!
そうよ ヘタな 鉄砲も 数うてば あたるって いうでしょ
ズルッ
人の歌を 散弾銃 みたいな いい方を するなんて ………
ごめんなさい そんな つもりじゃ…
あっ やはり ここに いたぞ!
会計
下に バイクが たおして あったから すぐ わかったぞ
な なんだよ デートの じゃまする 気か!
それどこじゃ ないだろう コンサート すっぽかして きやがって! マネージャー なきながら さがしてたぞ
えっ ジャーマネが!?

まあ! 今日はコンサートの日なの? すぐ いかなきゃだめじゃない!
し…しかし 今となってはもう おそい!
バイクがあるだろ それでいけば早い!
そ それが 全然のれないんだ 免許ないんだよ!
なに!? のれないのにわざわざもってきたのか!?
女性の前でいいところみせようと……つい!
今からなら間にあうかもしれないわよ!
だから まったく運転できないんだよ
グイ
わたしが運転するわ 場所はどこなの?
まさか? 無理だよ こんな重たいの
しっかりつかまってなさいよ!
千葉の郵便貯金《ゆうびんちょきん》ホールだ いそげ!
うぎゃあ たすけてくれーっ!!

麗子の腕なら千葉まで1時間でいくだろう…
ひと安心ですね！
ガォオオオッ
おい！マネージャー今チャーリーがそっちの千葉郵便貯金ホールへむかったぞ
ん…なに!?
でんわ
えっ千葉じゃなくて芝《しば》!? 東京 芝の郵便貯金ホールだって
千葉に 郵便貯金ホールなんてないわよ コンサートもどこでもやってないし チャーリーさんがとりみだして……なに!? えっ……まちがいですって!?
どうせ ぼくの人気なんてこんなモノだったんだ！しょせん ピエロの芸能人だ たまたま ヒットしただけなんだ！まちがって すべては夢だ！幻だ!!
たば
農村印
アイスクリーム

★週刊少年ジャンプ1979年21号

HARLEY-
DAVIDSON

人間適性検査!?の巻

あんときゃ どしゃ降り 雨ん中～～～
パチ パチ
やけの やんぱち 濡れて 泣いてたぜ 思いきりィ
…と くらあ
ザラッ
両津のやつ ひとりで うかれて なにやって るんだ いったい?
思《おも》いで いう奴《やつ》ァ ほろ苦《に》ら もんさア
今日は 節分《せつぶん》でしょう 豆まきを やる気ですよ!
豆まきだと? あんなに いっぱい まく つもりなのか?
衣装まで 用意して ましたからね 祭りごとが すきなんですよ……
BEER
BEER
仕事以外は はりきって ますからね 豆まきだけに マメに やってますよ ははは
BEER
BEER

オニはー
そと!
ザザザザ
うわっ
あっ
先輩!
ザバ
仕事以外で
悪かったな!
ザザ
ひゃっ
まぁって
ください
別に
そんな
つもりで…
ザバッ
そんなつもりも
こんなつもりも
あるか!
ようするに
バカにしとるん
だろうが!
ザザザ
うわっ
たすけて
くれーっ
うわっ
ズルーッ
にげられると
思っている
のか!

あいかわらずにぎやかな人たちね
チョットスミマセン
ミスターナカガワイラッシャイマースカ？オバハン？

ちょっと まっててね 今 よんで くるわ
ここは 本当に いろんな 人が くるわね
ねえ いそがしい ところ 悪いけど 圭ちゃん
外人さんが たずねて きてるわよ
なに!?
外人?
やあ! ポールじゃ ないか! よくきた な!!
ハーイ ミスター ナカガワ

じつに しらばか ぶりだな………
しばらく ぶりだろ!
元気そうじゃ ないか……… カミを きったのか?
日本語 むずかしい チンチン カンプンだ
えーっ あの人も 警察官 ですって!?
ホノルル 市警の ポールという やつだよ おと年も 正月にきて 拳銃 うちまくって いきやがった!
ミス レイコ さきほどは ベリー失礼 しました
親分にも… いや なにぶんにも 日本語は ディフィカルト おわびに お食事でも ごいっしょに…
まあ そんなに 気をつかって いただいて……
おい! バックが ちがうぞ ムード だしすぎだ!
コマ割りまで ちがってきた

いいかげんにしろ！バラの花なんかだすんじゃねえ男の漫画だぞ！
少女漫画からぬけでたみたいな顔しやがって場ちがいだ！
月刊マーガレット
あなたも榊《さかき》まさるの作品からぬけでたような顔してます
ちくしょうおちょくりやがって！
頭きた勝負してやる!!
チャ
ツ
あ…ら!?

拳銃の本場
アメリカから
きたことを
お忘れなく
うぬ
くそ!
戦争に
勝ったからって
いい気に
なるなよ
おぼえてろっ
はい
おぼえて
おきます
拳銃に
かけては
右にでる者
ノー
バディー
ホワット!?
スパッ
アメリカが
銃なら
こっちのほうは
日本刀で
勝負して
やろうじゃ
ねえか!
西洋人とは
根性の
きたえ方が
ちがうんでぇ
でやあ
ヘルプ!
クレイジー
ヒュン

手ごたえ あり!
なんのさわぎだ そんなもん ふり回して……
け…剣道の素振りをしてたんですよ 今年こそ全国大会出場を…と思って
気合いがはいってるでしょ!?
真剣を使って相手を殺す気か!?
いいえ めっそうもない!
まったく! 江戸時代ならおまえなど即刻 打ち首ものだ!
打ち首とは丸首でないセーターのことですか?
ニュッ
な…なんだこの男は!?
圭ちゃんの友だちよ ハワイからあそびにきたらしいわ
いろいろくるなあ

両津
こげくさいが
台所の
さっきの
豆じゃ……
そうだ
忘れてた!!
豆だと!?
いったい
なにを
する気だ?
節分
ですよ
朝から
ずっと
豆を
いってます
さあ
たっぷり
できたぞ
始めるか
………
ずいぶん
たくさん
買ってきたん
だな
持出禁止
そりゃあ　もう
近所に
売ろうと…いや
近所にも
まいてあげる
つもりでした
からね
それは
いいことだ
さっそく
やってやれ
あ　あの
そう……
ですか?
まず
派出所
から…
福はー
内!
そして…
今度は
外へ…
ザッ

鬼ィはー外っ!!
きゃあ
鬼はー外っ!!
鬼ィはー外っ!!
うわっ
鬼ィはー外っ!

おまえ住民にうらみでもあるのか！
不満があるならハッキリいえ!!
いえべ…別に…
両ちゃんこのごろあれてるわね適性検査うけなおしたほうがいいんじゃない？
ふくはうち
あいつは人間適性検査が必要だ！
両津 駅前から2丁目までまいてこい！住民にサービスしてくるんだっ
そんな！ひとりじゃ無理だよっ
外にわたしのバイクがありますお手伝いしましょう
さわるなっ竹宮恵子《たけみやけいこ》の漫画じゃあるまいし！
先輩おちついてください
おまえもどっちかというと同類だな…

わしのように男らしくできんのかっおまえたち!
男らしいというよりは原始人的といったほうが………
現代のピテカントロプス…いやペキン原人《げんじん》…
いいたいこといいやがって!もうやめた!!
まあエキサイトしないでいきましょう
おぼえてろ今度 戦争始めたらおまえを最初にうち殺しにいってやる
ぶっそうなことという人だな……
じゃゆっくりと走りますからしっかりつかまっててくださいね
OK《オーケー》OK《オーケー》レッツゴーッ

ドォ
ヴォオオオッ
ビィイイイ
めんどうくせえ たってやるか…
あ!?
福は一内
鬼はー外!
下町の住民のみなさん!福の神がやってまいりました!
めぐまれない人びとに愛の使者より幸多き豆をさしあげます
ヴォオオオオッ

あれ!?
ズバババッ
わたしも
手伝いに
きたわよ!
ビバババ
おー
サンキュー
テルヨ!
ハーイ
麗子の
バイクの
ほうが　いい
とびうつる
ぞ!!
あっ
ズバッ
あぶないわ
ねえ!
転倒したら
どうするのよ
がっははは
サーカス
でも　十分
くっていける
きゃあ
ーーっ
グラ
ズズーン

ちょっと もう少し 下のほうに つかまり なさいよっ
ちょうど 手ごろで もちやすい!
豆まきは どうしたのよ まかなきゃ だめじゃ ないの!
のってた ほうが らくちん!
それじゃ おりな さい! こらっ
なんのっ スッポンの 両さんだ ふりきれん ぞ!
もう!
ギャアアア
ようし みて らっしゃい!!

キッ
ゴン
ギャア
ちくしょう 上司に暴行をくわえたな!
うわっ 豆が ふって きた!!
バラ
バラ
グアアアア
福はー内!
鬼はー外!
福はー内!
また はでに 町中に ふらせやがる なあ
圭ちゃんも 手伝いに きたのよ ほら!

こらっ
手をぬいて
まくなっ
中川！
ズギューッ
ズギューッ
ビッ
ビッ
ビッ
ビッ
きゃあ
きゃあ
飛行機に
あたったわ
!!
なにごとだっ
これは!?
両津め～～～
きさまは
クビだーっ!!

こっちにおちてくるわよ!
部長〜〜〜 そんな! 中川が悪いんです 中川もまとめてクビにして!!
404
64
2783

★週刊少年ジャンプ1979年8号

拳銃無宿!?の巻

ズギュッ
ちっ
ズギュ
へへへ
やったーっ
2発
ミスだ!
おい
こらっ!
早く
ならべろ
!!

OK《オーケー》！今度は両ちゃんの番………
ザ…
ズギュ
まあ 2丁 使うなんてずるいわ
ズギュ
ズギュ
ズギュ
ズガガガガガ
ぎゃあ——っ
がっははは べつに 1丁とは きめてないぞ マトにあてりゃ 文句ない のだ！

べつに
拳銃とは
きめてなかったわ
これでも
いいんでしょ?
機関銃は
違反だ!
ずるいぞ
インチキだ!
……と
いいつつ
油断させ
相手の銃を
けとばす
ガッ
あっ

日本橋
方面
くそ! こういう女は 一度 いたい目に あわしてやる!
なによ そっちが 先に インチキ したんじゃ ないの!
いや その… べつに…
チャ
わはは しょせん 女の 浅知恵よ!
そう 簡単に いかない わよ!

くそ! なまい気な マネを!
だめよ! 銃を とっちゃ!
ちくしょう なん度も やりゃあ がって
しかえし してやる!
だめ! 銃に さわっちゃ

いつつっ あのやろう〜 上司を なんと 心えてるんだ
下手《したて》に でてりゃ いい気に なりやがって
ズギュッ
きゃあ ーーっ
もう おこったわ ゆるせない!!
ドガガガ
ガガ
あっ タマが きれたわ…
カシャッ
銃さえ 使えなきゃ こっちの もんよ!

えい!
ビュッ
おっと
その手は
くわん!
先輩
ゆるして
あげて
ください
うるせえ!
男のメンツが
かかってるんだ
ちょっと
こっち
こい!
グイッ
少しょう
手あらいが
やむをえん
ああ〜
川へ
たたき
こんで
性根を
なおして
やる!

あらら……☆
ふんぎゃあ
ドシャッ!!
キケン!
この近くで
あそばな
柔道は力だけでなげられると思うのがあまいわよ
ほんとに女性はおそろしい…

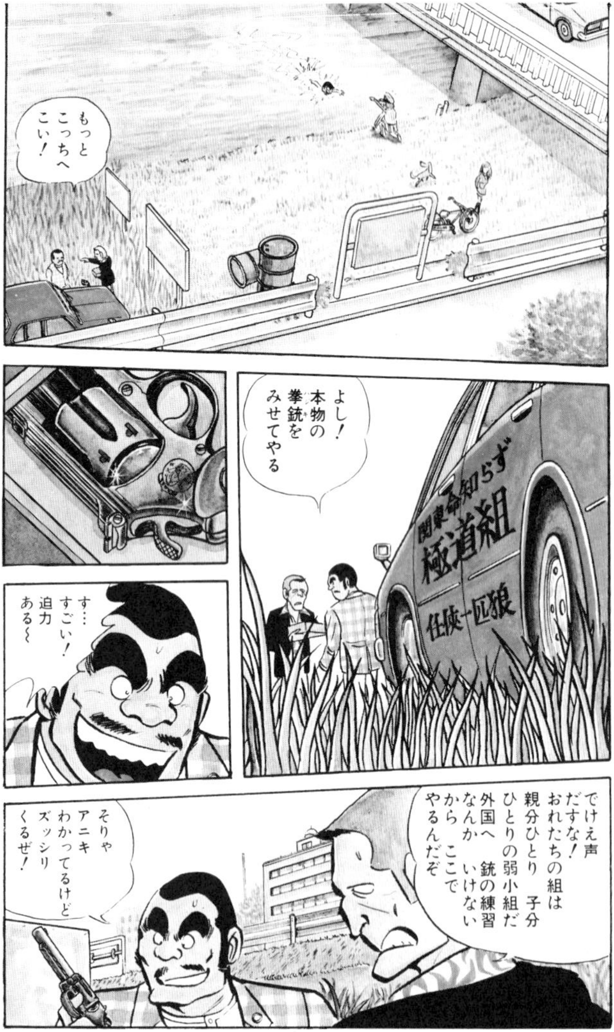
もっとこっちへこい！
よし！本物の拳銃《ハジキ》をみせてやる
関東命知らず
極道組
任侠一匹狼
す…すごい！迫力ある〜
でけえ声だすな！おれたちの組は親分ひとり 子分ひとりの弱小組だ 外国へ 銃の練習なんか いけないから ここでやるんだぞ
そりゃアニキわかってるけどズッシリくるぜ！

まさか同じ名の組があって 密輸の銃が送られてきたなんて信じられないなあ………
これで組員がいれば申し分ないんだがな……ふたり分にしては とにかく数が多すぎる
ちくしょう油断をしていたらこのありさまだ!
ねえあそこにいる人たちなにか変よ…
うるせえ!そんなことしるか!この女ブッチャーめ!
そんないい方ってないでしょうこら!
わかったよいきゃいいんだろいきゃ!

おい おまえたち そこで なにしてるんだ!?
いやあ その…… あの～～
あっ 拳銃!
こっちにかしてみろ こいつっ!
サッ
かまえる時は もっと脇を しめて…… こうだ わかるか!?
はあ… なるほどネ ふ～ん
な～んだ おとなが うちあいゴッコ してたのね
それにしては リアルな おもちゃだな

最近のおもちゃはじつによくできてるな
ズギュッ
ぎゃあ
お…おどろいたちゃんと実弾まででるぞ！
本物ですよその拳銃！
うわっ
ガオオオン
きゃあーーっ

ズザザザッ
にげるぞ やつらをつかまえるんだっ
ドドドド
のがすもんか!
ぐわっ ドアがとれた!
バリッ
どこをねらっとるんだ! このバカ!
タイヤをねらわんかえらそうに! てめえ!
内輪もめしてる時じゃないでしょ

ここへ自転車できたんだぞ自転車であの車を追えるかっだから考えてるんじゃない！
プアン
プアン
くそ～おっ！パトカーだっ
うわっ
ビ
ビ
な…なに者だおまえたち!?
ギ
ギ
あっ
早くおりるんだよ！
グイ
おーいまてーっどろぼう!!
ちょっとこの車かりるわよ

しかし……あの連中も警官の制服をきてましたけど……
なに!?
ゾオオオオオ
アニキおってきた！
銃はくさるほどあるんだうってうってうちまくれ！
うわっ
!!
ドドドド
キューン
ビビッ
きゃあ
ドン
ドン

もう頭にきた
麗子機関銃かせっ
どうするの!?
目には目を!
銃には銃だ!
銃のあつかいにかけちゃこっちがプロよ!!
ドガガガガ
おっと信号が赤だ!
ぎゃあ

ヴオオオ!!
ガッ
あっ
だいじょうぶですか?先輩
いきなりとめるやつがあるか!
みろ!まいたぞ ざまあみやがれ!
ゴオオオ
極道組《ごくどうぐみ》の強さがわかったか!
うわっ アニキ 前!前!
モデルガン工場

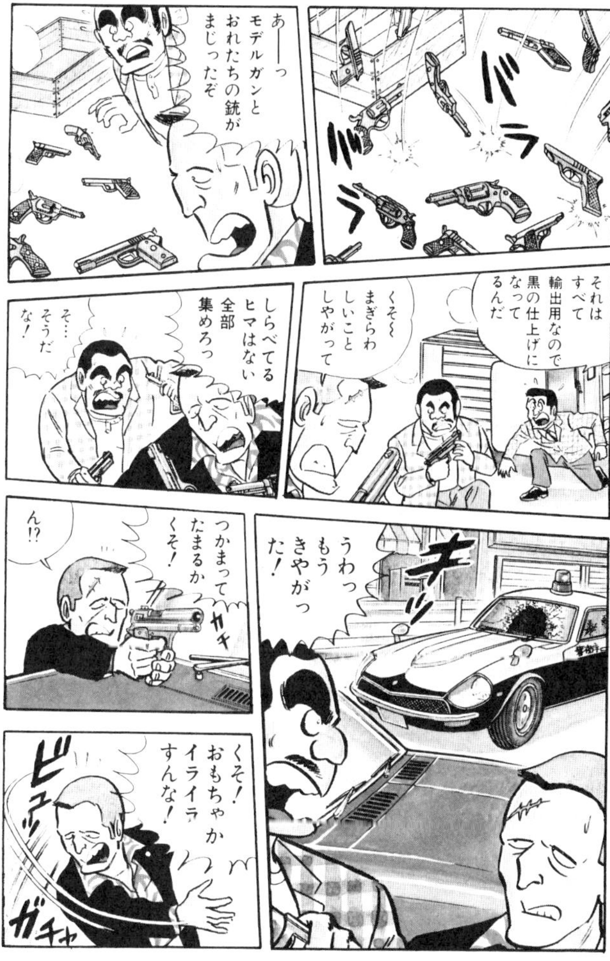
バラ
バラ
あーーっ
モデルガンと
おれたちの銃が
まじったぞ
それは
すべて
輸出用なので
黒の仕上げに
なってるんだ
くそ〜
まぎらわしいことしやがって
しらべてる
ヒマはない
全部
集めろっ
そ…
そうだな！
うわっ
もう
きやがった！
キキーッ
くそ！
つかまってたまるか
カチ
ん!?
くそ！
おもちゃか
イライラ
すんな！
ビュッ
ガチャ

あっ これも おもちゃだ
カチ
カチ
くそ ゲーム やってんじゃ ねえんだぞ
めんどくせえ こうなったら やつらに ぶつけろ!!
ビュエッ
へ… へいっ!
ヒュー
きゃあ 拳銃が とんできた わよ!
ビュッ
いったい なんのマネ でしょうね ……?
近ごろの やくざの やることは わからん!?
さっさと あるかんか こら!
両津 よくやった 密輸銃が 組織に流れる 前にくいとめる ことが できた 出所も つきとめられる
な…なあに 当然の ことをした までです

★週刊少年ジャンプ1979年９号

でやあーーっ
ビッ
だあーーっ
バババ
宮沢
本
堀
えっ
警ら係
少年課

ぼくら少年剣士!の巻
どりゃ!
わしに少年剣道のコーチをやれだと!?
指導する人が 休んでましてね
なあに ただみているだけでいいんですよ
ちぇっ これだから署にくるのはいやなんだ

あいつらのは
剣道じゃ
なくて
チャンバラ
だよ…
ヤァーーッ
タァーー
ガラッ
みろ!
形もクソも
あったもんじゃない!
だあ
バッ
ビシ
やあっ
くつはきちんとそろえてげたばこへ!!
甲斐
まっ
道場のスミにでも いって
すわってるかな
ビシ
お巡りさん
間あいの
とり方
おしえてよ
間あい
だと…?
おめえらにゃ 10年
早い!

先輩! せっかく ききに きてるん ですから
くそ! わかったよ おしえりゃ いいんだろ
間あい なんてもんはな 適当で いいんだよ
要するに 相手を ぶったたきゃ いいんだ からな!
それじゃ 見本 みせてよっ
やって! やって!
めんどう くせえ なあ〜 もう!
中川 おまえ 相手に なれ! 竹刀 もって こい!
え!?
いいか 一ぺんしか やらないからな ようく目ン玉 ひんむいて みてろよ

相手に 眼《がん》はって ハッタリを かますのが コツだ
修文練武
めーん!!
うわっ
わーっ すごい きまった
かっこいい お巡りさん
そ… そんなに きまっちゃった……?
うん! バッチリだよ
いかしてたよ!
今のは ほんの小手調《こてしら》べ だがな… おほん!
剣は 心なり 心正しければ 剣 また 正しい きみたちも よく おぼえときなさい

われわれ警察官は剣をとおして心と精神の修行をしている
剣の心をみきわめた時私のようなりっぱな人間になれるのだ!わかったね
アンコール
お巡りさんもう一度みせてよ
は・は・はこまった子どもたちだしかたないな
これ青年!
今一度かかってきたまえ
ゴロゴ
いてて
今度は連続打ちの高度な技術をひろうしよう!
さあ真剣のつもりできなさい!!
ようし!
だあ!
あっ

むふふ なんの… これしき
今度はこっちの番だ!
ぐりゅっ
恐怖のハエタタキ殺法だ! どりゃあ!
ビバシパパパシ
うわあ
びっ!
あっ
バシー
めーん!!
ちょ… ちょっと竹刀が…
ダッ

胴！胴！ひっかき回しの胴ーっ！
ではなぶっとばしの面！
感情むきだしの面胴小手
とどめは右こめかみ突きっ！
ぎゃう
ハァ
ハァ
ま…まいったか…
ぜい
ぜい
みたか？このように剣は心だ！うつくしい試合だったろ…
ぜい
ぜい
一しゅんのスキをみつけたら徹底的に攻撃にでるこれが武士道の原点だ

あの男は剣に対する心がくさっとるからあのように負けるのだわかるな
さあ剣の心がわかったら練習をつづけなさい！
はーい
たあやーっ！
これこれディスコじゃないんだぞ
そんなかけ声じゃすぐきられてしまうぞ
今は戦国時代で敵とたたかっていると思え声で敵を威圧してしまうんだ
このやろう！ぶっとばすぞ！
けたぐりまわして頭かちわってやる！
ぐりゃあぁあ
うぎゃあーっ!!
今のようにドスをきかせてやるんだやってみろ
このやろうぶっとばすぞ！
なかなか上達の早い子だ

お巡りさん どうも ありがとう ございました！
うむ！ また なにか わからない ことが あったら 公園前の 両津さんを たずねて えんりょなく きなさい
鈴木
佐藤
斉藤
ヴォオオオッ
それにしても さっきのは きまったなあ
フン じょうだん じゃ ありませんよ
自分が 未熟者の くせに 文句いう な
ビシッ
あいた！

ガツ
竹刀でたたくことないでしょうがっ
げっ
やりやがったなこいつ
いたたたた
ギギャアアアア
ギギギ
ひゃあ
うわあ――っ
キキキーッ
グワシャーン

いっつつつ……
どうも麗子さんただいま！
車ごと部屋の中にはいることとないでしょう！
今度から入口にバリケードでも立てておかないとだめだわ
お巡りさーん
おっさっきのガキどもか！
公園でチャンバラをやろうよさっきのつづき！
ようしやろうぜ！

こら あそんでないで かたづけなさいよ
ギュッ
かたいこと いわないで 麗子も いっしょに きたら どうだ
グイ
あっ
ようし 次郎長《じろちょう》一家と 都鳥《みやこどり》一家に わかれよう チビどもは 都鳥のほうネ
もう あそぶことに なると 夢中 なんだから
ぼくは 子どもたちの ほうに いきます 不利ですからね!
ようし ぶっとばして やるからな!
わたしも むこうに つくわ!
おい! こっちは ひとりかよ

強いんだからひとりでも十分でしょ
そうだそうだ
くそ！
ようし！たかが女子どもじゃねえかどっからでもかかってきやがれ！
でやぁ！
ガッ
どっこい！
だあっ
いてっ
バキ
やあーっ
みんなかかれ!!
うわあーっ
たあっ
やあっ
調子にのりゃあがっててめえら！
ビュッ
ちくしょうやられっぱなしでいるか！ようし……

でやあ
ガッ
きゃあ
ガッ
わははかかってこられるものならきてみろ!
ドス
うむいつもながらひれつな手を…
うぷっ
てめ…上司…を……
サッ

うわーっ
やった
やったーっ
正せい堂どうと かかってきなさいよ！
なにを〜〜〜
勝負は勝てばいいんだっ勝てば！
ビューッ
ぎゃあ
パカッ
いてえーっ
それーっ
バキ
ボグ
カキ
ドカ
うわっ
やあーっ
うわーっ
ズギューッ
ズギューッ
ズギューッ
ぎゃあ
銃なんてひきょうよ
うるせえ
鞍馬天狗《くらまてんぐ》だって使ってるんだぞ

スキあり!
いてっ
ちくしょう!
あっにげるわ!
ダーッ
わーっ追え!
ツモト商店
しつこいやつらだっ
山田商店
おっあれさえあれば!
おやじかりるぞ!
タッ
あっ

こちら葛飾区亀有公園前派出所㉓(完)

★週刊少年ジャンプ1979年10号

解説エッセイ「2001年ベーゴマの旅の巻」

マッド・アマノ（パロディ作家）

最近、「KOBAN」と書かれた緑色の看板が設置されている派出所が増えている。なぜローマ字なのか？　どーせ横文字にするなら「POLICE」とやればいいのに、何も「小判」と読み違えそうなものにすることはないだろうに…。しかもこの看板ときたら取り付け位置の関係からほとんど目につかないときている。目印の警官の帽子も弱々しくって何とも頼りない感じがする。「えっ、そんな看板、あったっけ？」という人は、今すぐ近くの派出所に足を運んで確認してみて欲しい。こんなチンケな看板でも制作費がかかっているのである。それは、とりもなおさず私たちの税金なのだから始末が悪い。「役にも立たない看板などは作るな！」と言いたい。ところで、ラブホテルと見間違えそうなデラックス派出所が、新宿副都心の中央公園内に建っていることをご存じだろうか。屋根が球状になっているので天文台にも見えるのだが、人通りの少ないところに、なぜこれほどに豪華な派出所が必要なのか大いにギモンだ。豪華と言えばほかにも沢山ある。京王《けいおう》線調布《ちょうふ》駅前の派出所や、地下鉄都営新宿線篠崎《しのざき》駅前の派出所などは「なんで、こーなるの？」と思わず首をかしげたくなるようなデザインなのだ。上野《うえの》公園内の派出所も、鉄でできた抽象オブジェみたいだ。芸術の森に合っているかと言えば、これがまったくのミスマッチ。周囲の景観をぶち壊していることは誰が見ても分かる。私はこれらの派出所の建築費がどのくらいかかったのかを警視庁に尋ねた。ところが見事に「ノーコメント」なのだ。「情報公開はいたしません」の一言でかたづけられてしまったのである。税金のムダ遣いをしておきながら、国民には秘密にしてしまう警視庁の体質はモンダイである。派出所などは、ケバケバしたデザインの建物にする必要はまったくない。その点、『こち亀』は派出所の鑑《かがみ》である。連載が開始された当時から現在に至るまで、工事現場のプレハブ建築みたいな簡素なもの。アルミサッシの引き戸が4枚あって、真ん中の2枚を入り口として使用している。実は本家の『亀有駅北口交番』は引き戸が3枚、間口は2メートルちょっと、もちろん2階はない。「これでいいのだ派出所は！」と思わず声高になってしまう。

そんなわけで私は派出所の原点である『こち亀』にはヒジョーに親近感を抱いている。

私は写真週刊誌『フォーカス』に創刊以来18年、毎週、パロディを連載して900回近くになるけれど『こち亀』の１１００回にはかなわない。これだけ続いて、しかも単行本が売れに売れるということは驚異である。『サザエさん』が小市民の代表的漫画とすれば『こち亀』はアナーキー（無政府主義）市民のバイブルと言える。なんたって両《りょう》さんが突然、米軍払い下げの戦車に乗ってヤクザを追っかけたり、風呂屋の煙突からロケットを発射して月世界へ飛んで行ってしまったりするのである。月に行くには宇宙開発事業団の許可がいるはずだが、そんなことはおかまいなしなのがいい。

単行本の第57巻では「炎の男　登場!!の巻」と題してロボットの警官が登場する。正確には「警視庁開発5号警察官ロボット」という。このロボット、『オズの魔法使い』に出てくるヤツにやけによく似ているのだが…。犯人逮捕に貢献したロボット警官が警視総監賞をもらう。そのあと派出所の左どなりの空地に何と3階建てくらいの高さの「ロボットポリスボックス」が建てられるのだ。この唐突なロボット警官のデビューぶりに拍手喝采《かっさい》なのだが、なぜかその後、あまり登場しなくなる。90年から91年の作品をまとめた第73巻にはすでにロボットポリスボックスの姿は消えている。多分、その前から取り壊されたのだろうが、その時期と理由については知らない。ここは、ぜひとも秋本《あきもと》さんに問いただしてみたいところだ。

一見、ハチャメチャ、ドタバタのギャグに見える『こち亀』だが、世相をあぶり出して、社会風刺をしている。ここが秋本ワールドの真骨頂なのだ。

『こち亀』のもうひとつの世界は、「人情モノ」である。「浅草物語の巻」は、映画にしてもいいほどの映像をイメージさせる。護送中の犯人・村瀬賢治《むらせけんじ》は、暴力団・集英会《しゅうえいかい》の幹部だったが破門されたのを恨んで組に殴り込みをするため逃走。浅草寺《せんそうじ》の近くに逃げ込む。両さんが逮捕に駆けつけ自首を説得する。実は両さんと村瀬は、小学校の3年生までの同期という仲。金持ちの家に生まれた村瀬が、なぜ暴力団の世界に足を踏み入れたのかは定かではない。いずれにしても30年ぶりの再会の二人には、印象に残る共通の思い出がある。

両さんが村瀬に言う。

「人生を投げた時点でおまえの負けだ！」

「運動もにが手なおまえにわしが特訓したのはベーゴマだ！」

「当時の男の子にとってその勝ち負けが尊敬の対象になった！」

両さんの手ほどきで村瀬少年が勝って得た100個あまりのベーゴマを、二人は浅草寺の境内《けいだい》の大木の下に記念として埋めた。両さんの説得に応じた村瀬は、

「ちょっと寄りたい所があるんだ」

と言ってその場を立ち去る。しばらくするとパトカーが村瀬を逮捕する。村瀬が立ち寄った

場所はベーゴマを埋めた所だった。両さんが掘り起こすと、箱の中に一通の手紙が…。
「勘のいいおまえのことだ。おそらく、おまえもこの場所へ来てることだろう。
25年前のオレにもどらせやがって！
百人斬りのベーゴマはしばらく借りることにする。これはオレの誇りだからな。
２００１年に会うのをたのしみにしてるよ。賢治」

私も子供の頃、親父の古いレインコートを真鍮《しんちゅう》の洗面器に敷いて、ベーゴマをやったことがあるから両さんと村瀬の気持ちが痛いほどよく分かる。２００１年まであとわずかだ。羽田《はねだ》空港の土産物店で買った「両さんの人形焼き（600円）」をパクつきながら、秋本さんは二人の再会の模様をどう描くのだろうと思いをめぐらせている。たぶん、その時のタイトルは、「２００１年ベーゴマの旅の巻」ではないだろうか。

掲載作品は集英社より刊行されたジャンプ・コミックス『こちら葛飾区亀有公園前派出所』第12巻（１９８０年4月）第13巻（同6月）第14巻（同8月）の中から、著者自らが精選して収録したものです。

JASRAC 出9902796-901

集英社文庫(コミック版)

こちら葛飾区亀有公園前派出所《かつしかくかめありこうえんまえはしゅつじょ》 23

1999年4月21日　第1刷
2009年7月31日　第2刷

定価はカバーに表示してあります。

著　者　秋《あき》本《もと》　治《おさむ》

発行者　太田富雄

発行所　株式会社　集英社
東京都千代田区一ツ橋2－5－10
〒101-8050
03(3230)6251(編集部)
電話　03(3230)6393(販売部)
03(3230)6080(読者係)

印　刷　図書印刷株式会社

ISBN4-08-617123-6　C0179